成田良悟
Ryohgo Narita

イラスト:ヤスダスズヒト
Illustration : Suzuhito Yasuda

ダンスホールの中に、踊る影が二つ。

白い人影と、黒い影そのもの。

「セルティ……凄く綺麗だよ」

白い人影が、『影』そのもので作られた、黒いドレスのセルティに手を差し伸べる。

「ありがとう。新羅。大好きだ」

首から上が欠落した美しい女性。その首から、凛とした美声が響き渡る。

「あれ!? セルティの声って初めて聞いたよ!? っていうかそんなのどうでもいいや! とにかく踊ろう!」

細かい事は気にせずに、新羅はセルティの手をとって踊り出す。

ダンスホールにはいつの間にか円舞曲が流れており、リズムに合わせて二人は優雅な動きで周囲の空間を魅了する。

「ああ、ああ……セルティ。僕は、君とこうして手を繋げるなら、このまま永遠に踊り続ける事になっても構わないよ」

「私もだ、新羅」

体全体で照れたようにはにかむセルティを見て、新羅はその体を踊りながら優雅に引き寄せ、力強く抱きしめた。


「セルティ大好き……むにゃ?」

そこで、彼は目を覚ます。

「……夢か」

パソコンデスクでうたた寝をしていた自分に気付き、新羅は夢が夢だったという現実にがっかりとしつつ背を伸ばした。

すると、夢の中で踊っていたパートナーが、黒い寝間着姿で寝室の方から現れた。

デュラララ!!×7

『街』の休日について、今までの本でいくらか語ってきたと思う。

今日は趣向を変えて、人間の休日について話をしようか。

人間が休むのは、当然ながら体を休める為だ。

だが、実際はそうでもない。

休日にこそ、人間はわざわざ遠出したり、くたくたになるまで遊びほうけたり、ここぞとばかりに趣味に没頭（ぼっとう）したり、普段よりも体力を使う事がしばしばある。

君にも心当たりがあるだろう？

あるよな？

無いならいい。

俺（おれ）の負けだ。

謝る。

御免（ごめん）なさい。

俺は人間を知らなかった。

人間を甘（あま）く見ていた。

許してくれ……！　許してくれ……！

……とまあ、謝るのはこのぐらいにしておいて、今度は『そうだな』と頷いてくれた人達に話の続きを語るとしよう。

もしかしたら、休日に疲れにいく奴らっていうのは、非日常って奴を求めているのかもしれないな。本来の言葉の意味からはズレるのかもしれないが、毎日の繰り返しからの一時的な脱却こそが、彼らにとっての『休息』なのかもしれない。

体を休めるわけじゃない。

心を休めるわけじゃない。

心でも体でもなく……日常の繰り返しという『状態』そのものを休ませるんだ。

次に日常に戻った時、気持ち良く日常の味を噛みしめられるようにね。

ほら、あれと一緒だよ。

料理を食べてる時に、口直しに水を飲んだりとか、そういうのとさ。

じゃあ、普段非日常の奴らは休日にどうしてるのか？

黒バイクみたいな『都市伝説』にも休日は存在するのか？

難しい問題だ。

普段濃い口の料理ばかり食ってる奴は、休日には水を飲むのか、それとももっと濃いソースや醤油を一気呑みするのかな？　おっと、今のは例えだから真似するなよ？　大変な事になる。

具体的に言うと、その、死ぬから。

まあ、非日常にどっぷり浸かってる奴らの場合は、非日常すら通り越して、ある種の自殺志願者になっちまってるのかもしれないが。

そもそも、そんな連中に休みなどあるのか、あるいは毎日が休日なのか。

こればっかりは本人に聞いてみないと解らないけどな。


ともあれ、街はそんな奴らの日常も非日常も、仕事も休日も区別しない。

見て判断するのは、結局の所は人間さ。

街は人の区別をつけやしない。そういう人間の行為全てを呑み込むだけさ。

醤油と同じで、飲み過ぎは体に良くないのにな。

まあ、人間が思うより——街は、胃袋も頑丈ってことだろう。

メディアワックス刊　池袋散歩解説書『池袋、逆襲3』より
著者である九十九屋真一のまえがきより抜粋

非日常α『入院ポルカ』
DRRR×7
Ryohgo Narita

5月5日　東北地方　某病院

「折原さん、検診のお時間ですよー」

病室の中に、まだ若いナースの声が響き渡る。

幾ばくかの薬品の匂いに混じり、花か果物か、僅かに甘い匂いが漂う白い部屋。

ここが個室という事を考えると、恐らくは隣の部屋の患者への見舞品だろう。

甘い香りの正体をそう判断し、ベッドの上の青年——折原臨也は静かに意識を覚醒させる。

——ああ、そうか。

——病院だったな、ここは。

目の前に見える見知らぬ看護婦の顔を見て、臨也は自分の置かれた状況を確認し始めた。

「看護婦さん、今、何時ですかね」

「えーと、もう夜の9時になりますねー。あ、点滴を取り替えますね」

女性看護師はテキパキと臨也の布団と入院着の袖を捲りあげ、点滴の針の様子を確認してから液体袋の交換に取り掛かる。

そんな様子を見ていると、臨也は己の腹に強い痛みを覚えた。

声には出さず、僅かに目を細めて激痛に耐える。

彼はそこで意識をハッキリと取り戻した。

自分が何故こんな状況に陥っているのか、それを明確に思い出したのである。

今から24時間程前。

『何者か』に刺され、東北のとある街中で倒れ伏した彼は、次に目が覚めた時は既にこのベッドの上だった。

検診はこれで三回目だろうか、それとも四回目だったろうか。

まだ明け方という時分に、警察の人間がやってきた。

腹を刺された入院患者は、点滴を取り替える看護婦の顔を見ながら、刑事達との会話を思い出す。

臨也はあれこれ聞く刑事達に対し、臨也は『突然誰かにぶつかられたと思ったら、腹から血が噴き出ていた』とだけ言い張った。細かい素性なども聞かれたが、最初に刑事が『折原さん』と呼びかけてきたので、ある程度こちらの住所なども知った上での事だろう。

趣味である一人旅に来た所で、突然狂人による通り魔に巻き込まれた。

臨也は、さもそれが事実であるかのように刑事達に語り続けた。

「私ではなく、この街の人達が安心して暮らせるように、早く犯人を捕まえて下さい」

にこりと笑いながらそう言ったのは、流石にやり過ぎたと反省する。

折原臨也は、その加害者が『正体不明の何者か』ではなく、『澱切陣内』という男であると知っていた。

何しろ、刺す前にわざわざ電話でそう告げたのだから。

しかし、彼はそれを刑事達に伝える事はしなかった。

彼との関係等を聞かれ、下手に騒ぎを大きくする事は避けたかったし——あの澱切という男が、警察に易々と捕まるとも思えなかったからだ。

適当な男の外見をでっちあげるという事も可能ではあったが、あの繁華街の防犯カメラの有無やその位置、目撃者の存在については確認していない。

そんな状態で下手に嘘をついて、後でバレるとややこしい事になる。

——と言っても、もう遅いか。

刑事達が自分に向ける視線を思い出し、臨也は小さく苦笑した。

——哀れな被害者に向ける目じゃない。決して警戒を解くことのない、狩人の目つきだ。

——こりゃ、コートの隠しポケットに入れてたナイフも見つかってる、と考えた方がいいな。

刑事達は何も言わなかったが、イザとなれば臨也を銃刀法違反で引っ張る事もできるだろう。

現在は『被害者』という形ではあるが、こちらの警察からすれば、自分もまた怪しい存在であることは変わりないだろう。

——今晩中に、抜け出すかな。

自分の傷の状態などは、最初の検診の時に聞いている。

内臓は奇跡的に殆ど無傷だったそうだ。狙ってやったのかどうか、それを判断する術は今はない。

——久々に、新羅に借りを作るハメになるかな……。

闇医者である友人に今後の傷のケアを頼る事を想像し、苦笑混じりの溜息を吐き出した。

——あいつはあいつで、先が読めない奴だからな……と。

そこまで考えた所で、看護婦の作業が全て終了したようだ。

「はい、終わりましたよ。顔色もいいし、この調子なら早く退院できるかもしれないですね」

微笑む若い看護婦に、臨也は営業的な笑いを返す。

「それは残念ですね。居心地のいい病院ですから、もう暫く泊まりたいと思ってたのに」

「お世辞を言ったって何もいい事はないですよ？　それにしても、若いからですかねえ、順調な回復ですよ？　刃物で刺された次の日に、そんなにピンピンしてるなんて」

「先生や看護師さんのおかげですよ」

表情では笑顔を浮かべながらも、臨也の内心は穏やかではない。

傷の痛みが続いているという事もあるが——看護婦の言葉に、ある男の顔を思い出したのだ。

——世の中には、その刃物自体が5ミリしか刺さらない化け物もいるけどね。

バーテン服を纏った昔馴染みの姿を思い出し、彼はふと看護婦に尋ねかける。

「そういえば、私が刺された事って、ニュースとか新聞に載ったりしたんですかね」

「……んー。そういえば、テレビキングの『ボク撮！　モーニングスター』でちょっとやってたと思いますけど。折原さんの名前も出たみたいですけど、何かまずいんですか？」

「……そうですか、いえ、友達に心配をかけると思いましてね」

——テレビキングか。

テレビキングと言えば、大王テレビ系列の地方局だ。

『ボク撮！　モーニングスター』は、大王テレビが全国放映しているニュース番組である。

関東圏にもニュースが流れた事を確認した臨也は、一つの懸念を思い浮かべた。

——さて。

——事件が報道されたのが今朝のニュースだとすると……。

——行動の早い奴なら、そろそろこの病院に辿り着くな。

♂♀

5月6日　午前2時

消灯時間が過ぎた後の病院は、驚く程に静かだった。

そんな中、臨也はベッドの上で静かに待ち続ける。

――さて。

――誰が来るのか……それとも、俺の予感が外れるか。

臨也は、刺される直前までに自分が残してきた様々な『因果』を思い浮かべる。

ロシア人の二人組に情報を提供し、時には邪魔な『化け物』を二人ほど排除するのに利用しようとした。バーテン服の獣を粟楠会と敵対させ、妖刀と融合した少女を『舞台』から速やかに排除する。

そんな突発的な計画に並行して、粟楠会と明日機組など、複数の暴力団関係者の間で蝙蝠のように立ち回ってきた。場合によっては、粟楠会の会長の孫娘を利用した事がバレているかもしれない。

他にも、情報屋という商売柄、いくつもの恨みを買っている。数え切れない程の、誰かの『弱み』を握っている。

彼は基本的に何も生み出さない。

基本的に警察や裏の組織が利用する情報屋というのは、キャバレーの客引きや、バーの用心棒。家出少女をまとめ上げている世話役の男や水商売のホステスなど、ある程度情報を握れる職業に就く人間が副業としているものが殆どだ。

だが、臨也の場合は違う。そうした『副業の情報屋』達と多くのコネを繋ぎ合わせ、時には手綱を握り、街のあらゆる情報を蜘蛛の糸のようなネットワークへと変化させたのだ。

彼はそうした糸にかかる様々な情報を巧みに操り、街の空気を動かしていく。

自分では何も生み出さない。

しかし、金だけは手に入れる。

臨也は理解しているのだ。

自分がしている事が、噂話を転がして金を乞うだけの外道であるいう事を。

そして、そんな自分に喜んで金を差し出して他人の弱みを買おうとする更なる外道が、この社会には浜の砂子のように溢れかえっている事にも。

だが、それは彼の生業ではあったが、彼の人生の目的ではない。

折原臨也の人生の目的は、ただ——人間を愛する事だけなのだ。

彼なりの、彼にしか理解できないやり方で。

廊下に灯った僅かな明かりと、窓から漏れる星明かりだけに照らされた薄暗い病室の中――

音一つ無い空間の中で、青年は思わず顔をほころばせる。

――『奴』なら、ニュースを見て走ってここまで来てもおかしくないか。

バーテン服の怪物の事を思い出し、苦々しく思いつつも口元を僅かに緩ませる。

――病院で暴れた凶悪犯として、奴が今度こそ長い刑務所暮らしになるのもいいな。

――俺が、生き延びられたらの話だけどな。

――奴じゃなければ、園原杏里か。

――今なら俺を切り刻む事もできるかもしれないからな。

――それとも、案外紀田正臣や矢霧波江あたりが来るかな？

――あるいは、あのロシア人達か。

――粟楠会の鉄砲玉……って可能性も捨てきれない。

――誰も来ないかもしれないけど、それはそれでありだ。俺の幸運を喜ぶとしよう。

まるで遠足の前の日の子供のように、臨也は僅かな興奮に胸を躍らせる。

鼓動に合わせて腹の傷が疼くが、その痛みすらも今の彼にとっては状況を楽しむスパイスに過ぎなかった。

それから更に一時間が経過し、いよいよ臨也の脳裏にも眠気が生まれ始めた頃、ある異音が彼の鼓膜を震わせた。

──来た。

夜回りの看護婦の足運びとは違う、己の存在を消そうとしているかのような細い足音。

だが、完全に消しきる事もできず、臨也の耳に心地好いリズムとなって響き渡る。

──誰かな。

──『奴』なら、こんなこそこそする足音じゃないだろうし、あのロシア人達ならそもそも足音を鳴らすような真似はしないだろう。

やはり粟楠会の関係者か、あるいは正臣あたりだろうか。

臨也がそのように考えた所で、ゆっくりと病室のドアが開く。

そして、病室にゆらりと影が蠢き──

「……？」

表情に暗い陰を含めた、若い女が現れた。

陰鬱な表情とは裏腹に、強い眼差しで星明かりに照らされた臨也の顔を睨み付ける。

「やっと……見つけた……」

憎しみとも、仇に出会えた狂喜とも取れる複雑な感情を顔に浮かべる女に対し——

「ええと、あー」

臨也は、首を傾げながら心底不思議そうな声で呟いた。

「……君、誰？」

日
常 A
『逢い引き
ボレロ』
DRRR×7

5月5日　朝　新宿某所

「……結局あいつ、戻ってこなかったわね」

　コトコトと煮え続ける鍋の前で、女は無感情に呟いた。

　鍋から昇る僅かな空気の揺らめきに、艶やかな黒髪を靡かせる妙齢の女。

　彼女——矢霧波江は、新宿の中央公園側にあるとある雑居ビルの一室で、帰らぬ部屋の主について思いを馳せる……

　……が、それは、ほんの数秒間に過ぎなかった。

「今日の鍋は思ったより上手く出来たわね。あいつが来ないんなら、誠二に持って行ってあげようかしら」

　小皿に注いだ汁の味を確かめる彼女の脳裏に浮かぶのは、池袋に残してきた最愛の男。

　誠二と呼んだ想い人と鍋を囲む姿を想像し、波江は硬い表情のまま僅かに頬を紅潮させた。

そんな様子だけ見ていると、年齢よりも子供っぽい所のある女性で済むだろう。

想い人が、実の弟でなければ。

更に言うならば、それが家族愛ではなく、異性に向ける生々しい愛欲でさえなければ。

波江は鍋の火を止め、テレビのリモコンを手に取った。

ソファに腰を下ろす姿も艶めかしく、本人の自覚もないまま女性の色気が閑散とした部屋の中に振りまかれる。

テレビをつけると、朝のニュース番組が始まっている所だった。

——なによ。

——部屋のテレビ、あっちのマンションよりもいい奴じゃない。

彼女は首を僅かに動かし、部屋の内部を気だるげに睨め付ける。

まるで住人であるかのように振る舞ってはいるが、彼女がこの部屋に来てから、まだ50時間も経っていない。

本来彼女は、新宿の別の場所にあるマンションで情報屋の助手をこなす日々だった。

だが、そちらのマンションは、とある事情によって現在誰もいない状態である。

バーテン服を着た『とある男』から自分達の身を隠す場所として、情報屋はこのマンションを用意していたのだが——何故か肝心の情報屋は波江からも姿を眩ませてしまっていた。

夜中に一度連絡を入れるという話だったが、その連絡すらもない。

「あいつ肝心な所で抜けてるから、あのバーテン君に捕まって殺されてるかもしれないわね」

独り言を呟きながら、テレビのチャンネルを次々と変えていく。

そして、普段見ている占いコーナーがある番組に変わったところで手を止め、弟の顔を浮かべながら艶めかしい無表情を浮かべていたのだが――

次の瞬間、テレビ画面の中から、馴染みのある名前が聞こえてきた。

『東京から旅行中だったオリハライザヤさんが、腹部から血を流して――』

――!?

テレビのスピーカーから漏れ出した、唐突な衝撃。

――折原……臨也!?

自分の聞き間違いか、あるいは同名の別人か。

意識を覚醒させ、彼女は静かにアナウンサーの言葉に聞き入った。

『……駅に面した繁華街の路上で、突然オリハラさんが血を流しながら倒れ込むのを周囲の人達が目撃したとの事です。現在オリハライザヤさんは市内の病院で治療を受けておりますが、腹部には刃物によると見られる刺し傷があり、警察は通り魔の犯行と見て、オリハラさんの回復を待って詳しい事情を――』

「へー」

テロップで『重傷：折原臨也さん』と映しだされたのを確認して、波江は小さく声をあげた。

顔写真こそ出なかったものの、このニュースの臨也が、自分の雇い主である男と同一人物であるという事は間違いないだろう。『臨也』と書いて『イザヤ』と読ませる同姓同名の別人がそうそう居るとは思えない。

だが、その雇い主の名が全国のニュースに流れたという事実を前にしても、波江の顔には醒めた色しか浮かばない。

――あいつ、刺されたんだ。

独り言を呟き、チャンネルを変える波江。

他のチャンネルをいくつか確認してみるが、どこもアイドルの熱愛報道や朝のアニメを放映しているだけで、特にそれらしい報道はなされていない。

――まあ、単なるチンピラ同士のケンカだと受け取られれば、あんまり重要なニュースとは思えないでしょうし……。

――実際、似たようなもんでしょうしね。

臨也がいかに多くのトラブルを抱えているか、それは仕事を手伝っている波江が誰よりも理解しているつもりだ。

特に理解したいものでもなかったのだが、仕事場の上司のトラブルに巻き込まれるのは御免なので、彼女は極力そうした情報に対して神経を尖らせていた。

それでも、心当たりが多すぎて、刺されたという事が重大な案件とは思えない。

「……」

波江の携帯はピザ屋の番号として入れているので、臨也の携帯を調べたとしても、直接警察から電話が来る事はないだろう。一つ一つの番号を検証するなど、それこそ殺人事件にでも発展しない限りはありえないのではないだろうか？　いや、それとも警察は傷害事件に対してもそこまでやるものなのだろうか？

――あ。

――それよりもあいつ、まずいんじゃないのかしら。

波江はふと、現在はただの傷害事件だが、数日中に殺人に発展するのではと考えた。

こうして報道されてしまった以上、現場近くの病院に運ばれているとして――臨也が嵌めたバーテン服の青年がこのニュースを見たとしたら。あるいは、敵対する他の誰かが見ていたとしたら。

自分の雇い主が、割と命の危機に瀕している事に気付き――

波江(なみえ)は、真剣な表情で呟(つぶや)いた。

「どちらにしろ……今日から暫(しばら)くは休み、って事でいいのよね」

波江はその事実だけを確認し、後はどうでもいいとばかりに立ち上がる。

ガスの元栓(もとせん)を締め、まだ半分以上残っている鍋(なべ)に蓋(ふた)をした頃には、既(すで)に上司の顔など頭の隅(すみ)に追いやられていた。

もしかしたら、頭の片隅どころか――その生死の安否も含め、完全に脳内から消えていたのかもしれない。

「誠二(せいじ)……」

そう呟いた彼女は、恍惚(こうこつ)とした表情で窓の外を眺(なが)め続ける。

まるで、夜景の中に存在する、最愛の弟の姿が見えているかのように。

♂♀

5月6日　昼　池袋某所　マンション前

その少女の顔には、どこか陰を秘めた美しさが湛えられていた。

艶のある黒髪に、異国の匂いを醸し出す顔立ち。

日本人離れというよりも、どこか人間離れした、絵画のような雰囲気を持っている少女。

一際異様なのが、彼女の首を取り囲む大きな疵痕である。

まるで、一度切断した首を繋ぎ合わせたかのような不可解な手術痕だ。

傍に立てば、自分が幻想世界にでも迷い込んでしまったのではないかと不安になり、それでも目を離す事ができない危うい存在。

一目見た時は、そう感じて心を囚われる者もいるだろう。

だが――

「おはよう！　誠二！」

底抜けに明るい声が、自らの顔が放つ雰囲気を台無しにする。

なんの悩みも感じられない、世界が自分に味方しているかのような声だ。

その声を聞いて――マンションの入口から現れた青年が、薄く笑いながら言葉を返す。

「おはよう、美香」

誠二と呼ばれた青年は、私服に身を包んでいるものの、一目で高校生と解る顔立ちだ。

一方、美香と呼ばれた少女の方は、若くは見えるが、先述した雰囲気の為にどこか大人びた印象を見た者に与えている。

もっとも、それは彼女が口を閉じていればの話だが。

「今日はどこに行く？　私、誠二の行く所ならどこでもいいよ！」

無邪気な言葉。

無垢な声。

付き合い始めたばかりのカップルでもなかなか見られないような初々しい言葉だが、美香は、誠二と付き合い始めてから既に一年以上経過している。

出会ったばかりの頃は、美香は誠二に敬語を使っていたのだが——誠二の要望により、現在では自然な調子で語りかけている。

そんな彼女の目には愛と希望、そして己と相手の関係に対する確固たる自信が満ちており、まるでつい数分前に運命の出会いをしたかのような面持ちだ。

しかし、対する青年は至って冷静に、少女の放つ熱い視線を受け流す。

「そうだな……。今日は、映画でも見に行こうか」

軽く微笑みながら、誠二はゆっくりと少女の肩に手を置いた。

♂♀

5月5日　昼　某喫茶店

大型電気量販店周辺の地下にある、高級感の漂う喫茶店。

仕事上の打ち合わせや、友人や恋人同士でまったりとした時間を過ごす為に利用される事が多い喫茶店だ。

そんな上品な空気が漂う喫茶店の一角に、女子高生の明るい声が響き渡る。

「で、肩に手を置いた瞬間に、張間先輩がキューって矢霧先輩の肩に抱きついちゃって！　矢霧先輩は『おいおい、歩き辛いだろ』って言ってたけど、顔はそんなに嫌そうじゃなかったよ！　本当に、いつまで経ってもお互いに飽きないねー」

「……熱（ラブラブでした）……」

眼鏡をかけたハイテンションな少女の声に、暗い調子の少女が合いの手を入れた。

雰囲気に差はあるものの、髪型と眼鏡の有無を除いては全く同じ顔である。

そんな奇妙な双子の声に耳を傾けているのは――

女性用のビジネススーツに身を包んだ波江の姿だった。

「……」

まるで自分達の事のような調子で語る双子の少女に対し、波江は無言。

圧倒的、沈黙。

「……波江さん？」

その様子に気付いたのか、眼鏡をかけた方の少女が、首を傾げながら問いかける。

波江の顔に、これといった表情のようなものは浮かんでいない。

だが、その双眸には周囲を凍り付かせるには十分な威圧感が孕まれており、脳天気な眼鏡少女も流石に背中を汗ばませた。

「波江さん、どうしたんですか？」

「なんでもないわ。話を続けなさい。折原九瑠璃に折原舞流」

「あ、改まってフルネームで呼ばれると怖いですよ波江さん？」

「……危……」

目の前の相手の中に渦巻く『何か』に気付いたのか、思わず身を寄せ合う双子の少女。

眼鏡の少女――マイルは、自分の中に湧き起こった冷たい恐怖を払拭すべく、愛想笑いを浮かべながら『報告』の続きを口にする。

「で、その後は二人でメトロポリタンの映画館に向かって、『吸血忍者カーミラ才蔵ビギニング』を観賞中！　今も！　あ、でも、そろそろ終わる時間かなあ？」

「……僅……」

「そう」

淡々とした調子で呟いた後、波江は優雅な手つきで珈琲を口に運ぶ。

「とりあえず、今日までの観察と報告には感謝するわ。これはほんの謝礼よ」

全く感情を見せぬまま、一枚のカードを差し出す波江。

それは、ある銀行のキャッシュカードだった。

「足はつかないようになってるけど、１００％安全とは言えないから、中身だけ全額引き出したら廃棄しなさい。暗証番号は０１６４。約束通り、丁度30万円入ってるわ」

「前に頼まれた時から思ってたけど、本当にそんなに貰っちゃっていいの？」

申し訳ないというよりも、純粋な疑問として尋ねるマイル。

「当然よ。何か疑問でもあるのかしら？」

波江はその疑問の意図が分からないというように、首を傾げながら尋ね返す。その挙動一つとっても、大人の色気を感じさせるものだったのだが——やはり、その顔には冷淡な色が浮かんでおり、見る者の背筋を緩やかに凍らせる。

「だって、弟さんの行動を見られる時だけ見張って、報告するだけでこんなに……」

「愚問ね。誠二の事を知るという行為は、そもそもお金になんて置き換えられない程に価値のあるものよ。その金額は、貴女達の報告から時間を計算して、私が折原臨也から施されている時給に換算しただけ。何も気にする事は無いわ」

波江（なみえ）の言葉を聞いて、双子（ふたご）の姉妹は密（ひそ）やかに囁（ささや）き合う。

（イザ兄、波江さんを随分（ずいぶん）高い時給で雇（やと）ってるんだね）

（……試（初めて人を雇ったから）………悩（相場がわからなかったのかも）……）

少女達の声を耳にしつつも、波江は欠片（かけら）も動じる事無く、淡々と、ただ、ただ、淡々とした調子で口を開き続けた。

「私はその時給以上の仕事はしてやってるつもりよ。貴女（あなた）達の気まぐれな家族のお守（も）りは想像よりも遙（はる）かに重労働だわ」

そこまで呟（つぶや）いた後、彼女はふと気付き、目の前の双子に一つの疑問を投げかけた。

「……貴女達、折原臨也（おりはらいざや）の事は何も聞いてないの？」

すると——

「ああ、イザ兄、誰かに刺（さ）されちゃったんでしょ？」

「……朝（今朝方）……局（警察から）……聞（連絡が）……」

「父（とう）さんも母（かあ）さんも仕事で海外に行ってるから、手っ取り早く私達の所に連絡が来たみたい。そんなのツバつけとけば治るからほっとけばいいよ！　って言ったら、電話口の婦警さんに『家族に対してそんなこと言うもんじゃない』って怒られたけど」

「……呆（あたりまえ）……」

妹を諭すクルリだが、その顔には『家族が刺された』という悲愴感や不安感は見あたらない。

恐らく、彼女達にとって兄はそれほど大事な存在ではないのだろう。

波江は特に上司の家族の絆に興味はないので、その話題は即座にそこで打ち切った。

「……で、貴女達の報告の中で、一つだけ確認しておきたい事があるんだけど」

「なになに？　報告には主観は混じってるけど脚色とかはしてないよ？」

「……誠二は……その女の事を普段どう呼んでるの？」

「え？」

相手の質問の意図が分からず、双子は再び顔を見合わせるが――

特に深く考える事無く、マイルがその答えを口にする。

口にしてしまう。

「えっと、普通に、『美香』って呼び捨てにしてるよ？　張間先輩も、他の人には変な感じのデスマス口調だけど、矢霧先輩と話す時は、最近はフランクな感じ。他の先輩に聞いたんだけど、なんでもこないだ、付き合ってから一周年だからそれを記念にお互いに呼び捨てに……」

ペラペラと話の続きを語ろうとするマイルだったが、それは突然の異音によって遮られる。

パキリ

乾いた音と共に、波江の手からコーヒーカップが落下した。

膝の上にバウンドして、床に転がるカップ。

幸い珈琲は既に飲み干されていたようで、中身が波江の服や床に散乱する事はなかった。

だが——クルリとマイルは、無言のまま波江の手元を見つめている。

そこには、折れたカップの持ち手の部分が、へし折られるような形で残されていたからだ。

「申し訳ありません御客様！　御怪我は御座いませんか？」

カップが転がったのを目にした店員が、慌てて波江達の席へと駆け寄ってくる。どうやら、カップに何かトラブルがあり、自然と柄が割れてしまったと思っているようだ。

「……いいわ、気にしないで」

冷製な表情のまま、コーヒーカップを回収した後に尚も謝罪しようとする店員を下がらせ、波江は静かにお冷やの注がれたコップを口元に運ぶ。

やはり優雅な仕草だが、クルリとマイルは気付いていた。

カップにヒビなどが入っていたわけではなく——

純粋に、波江が指の力で陶器の持ち手をへし折ったのだという事に。

「な、波江さん？」

「……謎……？」

目の前の空気が怨念めいたもので澱んだかのような錯覚に陥った双子が、僅かに波江から身

を引きつつ尋ねかける。

　だが、そんな少女達の声が聞こえているのかいないのか、波江(なみえ)は何処か遠くを睨み付けながら、独り言を呟(つぶや)いた。

「……ないのに……」

「え？」

「……」

　双子(ふたご)の少女が次の瞬間(しゅんかん)に聞いた言葉は、それはある意味当たり前とも言える事実なのだが、それだけに、目の前の女の狂気を強く強く感じさせる一言だった。

「私だって……誠二(せいじ)に呼び捨てにされた事なんて……無いのに……」

　双子の少女は、更(さら)に気付く。

　彼女の言葉には、強い殺意と、底なしの嫉妬(しっと)が籠(こ)められているという事に。

　そして、恐らくそれは、常人(じょうじん)の理解できる範疇(はんちゅう)を遙(はる)かに飛び越えてしまっているのだろうという事にも。

♂♀

30分後　映画館ロビー

【説明しよう！

カーミラ才蔵は吸血忍者である！

吸血鬼の父と人間の母を持ち、忍びの技を極めた闇のエージェントなのだ！

己の身に宿る吸血鬼の血を忌み嫌いながらも、ニュートーキョーの平和を守る為に、世の中のダークサイドと闘い続けるのである！

前二作において、ニュートーキョーに続き過去の江戸を救った才蔵が、三作目にして二度目のタイムスリップ！

今度の行き先は、なんと中世のルーマニア！

まだ人間を憎んでいた頃の父親との出会い。

そして、新たなる敵。

時空を超えた死闘の果て、才蔵は己の真実を見る――――】

そんな事が書かれているパンフレットの一ページ目を読みながら、矢霧誠二は傍らにいる少女に声をかけた。

「どうだった？」

「すっごく興奮したよ！　ずっと誠二の隣にいられたから！」

天真爛漫な笑みを浮かべながら、張間美香は誠二の腕に自らの手首を絡ませる。

「そういう感想は聞いてないんだけどな」

呆れつつも、誠二は薄く微笑んで美香の顔を見る。

彼は、傍らにいる少女の言葉に微笑んだわけではない。

い、い、い、い、い、い、い、い、い、い、

彼女の顔の造型が浮かべた微笑みに対して、自らも微笑みを返したのだ。

♂♀

矢霧誠二は、愛に生きる男だ。

自分の惚れた女の為なら、戦車に素手で立ち向かい、彼女を生かす為に自分の心臓を抉れと言われれば——本当にその必要があればだが——彼は迷う事なく実行してみせるだろう。

その愛を捧げるべき存在は、彼の腕に絡みつき、無邪気だがどこか陰のある微笑みを浮かべる少女——ではない。

正確に言うならば、彼女の『顔』だ。

誠二が愛しているものは、張間美香という肉体の、俗に頭部と呼ばれる部位の造型だ。

もしも映画館の売店の販売員の女性が全く同じ顔をしていたとしたら、彼はすぐにでも『愛する』事ができるだろう。

果たしてそれは愛なのか？

頭部の造型だけを愛していると言えば、そう思う者もいるだろう。

だが——何が愛なのかという定義は置いておくとして、誠二のケースは単に外見を愛しているというよりも、やや複雑な状況だと言える。

彼は外見で全てを判断しているわけではない。

仮に、美香の顔よりも美しい顔の持ち主が現れたとしても、彼は心を動かされる事はないだろう。

一人の女の首に人生を狂わされた誠二は、紆余曲折を経て、現在は張間美香と恋人同士として付き合っているのだ。

彼の探す、本物の女の首が見つかる、その瞬間まで——

矢霧誠二は、偽りの恋を演じ続ける。

張間美香の顔を見る事によって、本物の『彼女』を忘れる事のなきように。

それが、自分の愛だと信じて。

張間美香は、愛に生きる女だ。

彼女が一番愛しているのは、誰かを愛している自分自身。

だから、相手の都合など考えない。

自分の愛を貫く為なら、相手の家に忍び込む事はもちろん、愛する愛する彼氏の部屋に、盗聴器を仕掛ける事も厭わない。

もしも誠二が他の女を愛する事があったとしても、誠二の事を恨む事は無いだろう。

誠二が自分の事を激しく罵ろうとも、彼を憎む事はないだろう。

それでも彼を愛し続ける、自分の愛こそが何よりも大事なのだから。

愛する対象である、誠二自身の想いよりも、ずっと、ずっと、ずっと。

故に、彼女は矢霧誠二を愛し続ける。心の底から、限りなく純粋に、おどろおどろしく。

――「俺は、お前を愛していない」

かつて、誠二が自分に向けて言い放った『告白の言葉』。

今でもハッキリと、己の脳内に思い出す事ができる。

――「だけど、お前を見ている限り俺は『彼女』への愛を、決意を忘れる事は無い。だから、俺はお前の愛を受け入れる。何時か――俺が彼女を取り戻すまでは――」

その後、誠二が自分を抱きしめた。

抱きしめてくれた。

十分だ。

自分が矢霧誠二を愛する理由は、それだけで十分なのだ。

——この私を受け入れてくれる。

——私の愛を受け入れてくれる。

そして、彼女は思う。

彼が今、自分を通して愛を向ける相手。

本物の『顔の持ち主』——。

それを誠二と共に見つけ出し、誠二の目の前でその顔を叩き割り、自らが一滴の血も、髪の毛すらも残さず喰らう。そうすれば——誠二の愛は、自分だけの物になる。

誠二は怒って自分を殺すかもしれない。

それも、美香には解っていた。

だが、そんな些細な事はどうでもいい。

張間美香という少女は、心の底からそう思っていた。

彼女は、信じているのだ。

一般人から見れば異常とも思えるその想いこそが、『愛』と呼ばれるものなのだと。

そして、二人の『想い』に共通して存在する、『本物の顔の持ち主』は――『持ち主』と言うには、些か奇妙な存在だった。

何しろ、その顔の持ち主というのは、顔そのもの――

胴体から離れ、尚も生き続けている『女性の頭部』そのものだったのだから。

♂♀

『彼女』は、人間ではなかった。

俗に『デュラハン』と呼ばれる、スコットランドからアイルランドを居とする妖精の一種であり――天命が近い者の住む邸宅に、その死期の訪れを告げて回る存在だ。

切り落とした己の首を脇に抱え、俗にコシュタ・バワーと呼ばれる首無し馬に牽かれた二輪の馬車に乗り、死期が迫る者の家へと訪れる。うっかり戸口を開けようものならば、タライに満たされた血液を浴びせかけられる――そんな不吉の使者の代表として、バンシーと共に欧州の神話の中で語り継がれて来た。

そして――その騎士が抱えていた『首』こそが、矢霧誠二の愛する唯一無二の存在だった。

一年前、誠二は自らの家族が働いている製薬会社から、一つの『実験体』を持ち出した。

それこそが、幼い頃から想いを寄せ続けてきた『美』の象徴——デュラハンの首だったのだ。

紆余曲折を経て、結局彼は首を手放す事となる。

代わりに、彼の前に現れたのが——そのデュラハンと同じ顔に整形された、一人の少女——張間美香。

自らの愛した首と、整形によりその顔に近づいた美香。

誠二は、その二つの『顔』を見分ける事ができなかった。

それを知らされた瞬間、彼の心を打ち砕いたのは、その時に浴びた嘲りの言葉だった。

——『ま、君は本物と偽者の区別すらつけられなかったわけで——』

誰の言葉かは憶えていない。

誠二の良く知らない人間だったようにも思える。

だが、言葉は鎖となって、誠二の愛をギチブチと締め千切った。

——『ぶっちゃけた話をしてしまえば、あんたの『首』に対する愛はその程度って事だね。

ご苦労さん』

誠二の愛はその瞬間に壊れてしまったのだが——

彼は、愛を諦めてはいなかった。

壊れたなら、また直せばいい。

誠二が美香を傍らに置くのは、『首』への愛を忘れない為。

そして、自分自身への戒めの為。

張間美香は、誠二にとって『首』への愛を経由させるターミナル、中継基地に過ぎない。

自分の愛が本物であると確認する為だけに——誠二は今日も、愛していない女と偽りの恋を演じ続けるのだ。

♂♀

数分後　池袋

映画館を出た二人は、当てもなく街をぶらつく事にしたようだ。

特に目的地を設定せず、サンシャイン60階通りをハンズ方面に向かって歩いていく二人。

連休中という事もあり、街は普段以上に活気づいている。

東京の都市圏の群衆は、場所によって様々な色に分かれている。

渋谷や秋葉原のように、具体的にその色を言葉で説明できる事は少ないが、新宿と池袋でも、それぞれに違った群衆の空気のようなものがある。

誠二と美香は、そんな独特の空気の中からやや浮き上がってはいたのだが、休日の熱気がその違和感を簡単に隠してしまう。

「才蔵のタイムパラドックスについては、どう思う⁉」

「そうだねー。2の時もそうだったけど、特に未来が変わった様子もないから、あれは本当の過去じゃなくて、時間のずれた並行世界って考えた方がいいんじゃないかな？　それでも、才蔵の父親の過去を知る事ができたわけだし……。私はそう思うけど、誠二はどう思う？」

「ああ……俺もそんな感じだと思ってる」

「本当⁉　嬉しい！」

無邪気に微笑む少女を見つめ、誠二は何気ない調子で、彼らの人生に関わる言葉を口にした。

「……妖怪とか吸血鬼とかを見ると、改めて思い出すんだ」

「……『首』の事だね」

「ああ」

街中であるというのに、誠二はその話を躊躇う事はなかった。

改めて、青年は傍らの少女の顔に目を向ける。

この張間美香という女は、決して単なるバカではない。

誠二もそれは理解している。

人の話を聞かないストーカーのバカな女、美香の『中身』に対する誠二の第一印象だった。

だが——実際に付き合ってみると、この張間美香という少女は、異常者の側面を持ち合わせる一方で、実に狡猾(こうかつ)で理知的な一面を持ち合わせている事も解(わか)ってきた。

だが、いまだに彼女については解らない事が多い。


——何故(なぜ)、俺(おれ)なんだ?


矢霧誠二(やぎりせいじ)は考える。

確かに、一年ほど前に、チンピラ達から彼女とその友達を助けた事はあった。

その前に、試験の時に一目惚(ひとめぼ)れしていたとも聞いている。

だが、しかし。

しかしだ。

その一目惚れや、チンピラから助けられた恩。

あるいは、彼女の感じた『運命』とやらは——

本当に、全(すべ)てを賭(か)けてまでどうこうせねばならぬ程のものなのだろうか?

誠二はかつて、この女の頭をカチ割っている。

完全な殺意を持って。

それでも、張間美香(はりまみか)は矢霧誠二を愛し続けた。

半分強要だったとはいえ、自らの意思で首の回りに一生残りかねない偽りの傷を縫(ぬ)い込み、親から貰った顔を異なる造型に造り替えたのだ。

彼女はそれを後悔していない。

だからこそ、誠二は解せなかった。

愛に命を賭けられるかと問われれば、自分は『できる』と即答できる。

だが、実際に腕を折られたり、死にそうな目に遭ったことはない。今思うと、バーテンダー服の男にケンカを売った時が一番命の危機だったのかもしれないが、あの時は興奮して自分の安全など考えるヒマはなかった。

例えば、物凄い拷問を受けながらも、自分は愛を貫く事はできるのだろうか？

自分ではできると信じているが、結果は、実際に拷問でも受けなければ分からない。

だが――この美香という少女は、恐らくは拷問を受けても自分を愛し続けるだろう。

そんな予感がある。

――なんでだ？

極度の自惚れ屋なら、ここで『それだけ俺が魅力的だ』という結論に達するだろう。あるいは、互いに愛し合う中なら、そこに疑問を持つ事はないだろう。中途半端な関係なら、彼女の愛に恐れを抱く事だろう。

しかし、自分にとって美香は単なる『中継基地』に過ぎない。

そこから客観的に見てみると、ただただ疑問だけが湧き上がる。

——こいつは、俺のどこがそんなにいいんだ？

誠二はこれまでにも、何度かそんな事を考えた。

だが、結局相手の真意も解らず、途中で悩み始めた時点で『本物の首』を思い出し、『悩む価値もないか』と意識の外に追いやってきた。

何度も。何度も。

悩むのが面倒になって、誠二は美香に直接聞いたこともある。

すると、決まって『誠二さんだからです！』と答えられた。

最近は口調がフランクになって『誠二だからだよ！』に変わったが、結局は何の答えにもなっていない。

そんな関係が一年以上続いた今日——誠二は、やはり同じ疑問を口にした。

「何度も言うけど、俺が愛してるのは美香じゃない」

「……知ってる」

「なのに、どうして俺の事が好きなんだ？」

「誠二だからだよ。他に理由なんてない」

やはり、返ってくる答えは同じだった。

誠二は溜息を吐きつつ、そこで疑問を打ち切り——別の話題を口にする。

「姉さんも、もう行方不明になってから一年以上になるし……多分、首のありかは姉さんが知ってると思うんだけど」

「……やっぱり、お姉さんが心配？」

「？　何が？」

「だって、色々な人に追われてるだろうし……。もしかしたら危ない目にあってるかも……」

珍しく殊勝な事を言う美香に、誠二は苦笑を浮かべて答えを返した。

「姉さんはそんなヤワじゃないよ。タフな上に悪人だしね」

それ以上は立ち入った話をしたくなかったのか、誠二は首をコキリと鳴らし、周囲の風景を見ながら呟いた。

「そろそろ昼飯にしようか」

各種ファーストフード店や喫茶店、レストランが並び、少し横道に入れば台湾料理屋やラーメン屋なども豊富に存在する通りの中で、誠二は美香の頭にポンと手をやり、呟きかける。

「何か食べたいものはあるか？」

「誠二が好きなら、なんでもいいよ！」

これもまた、いつも通りのやり取りだった。

――主体性が無さすぎる女も嫌われる、となんかの本に書いてあったような気がするな。

――まあ、どうでもいいか。

——本物の『首』が喋るなら、俺はどんな性格でも受け入れる。

人が聞けば不気味がりそうな事を心中に呟きつつ、誠二はいつものように自分の気分に従って行き先を決める事にした。

「じゃあ、たまには寿司でも食べよう」

そうして、ボーリング場の側にある『露西亜寿司』へと足を向けた。

♂♀

露西亜寿司へ向かう最中——誠二の視線が一点に吸い寄せられた。

「……ん？」

見知った顔が目の前を歩いている事に気付き、思わず声を張り上げる。

「竜ケ峰。竜ケ峰じゃないか」

「えっ」

キョトンとした顔で振り返ったのは、童顔の少年だった。

竜ケ峰と呼ばれたその少年は、誠二と美香の顔を見て微笑んだ。

「やあ、矢霧君、張間さん。今日もデート？」

「ああ……。……？　どうしたんだ、その顔？」

私立来良学園の同級生である少年——竜ヶ峰帝人の顔には絆創膏が貼られており、一部には青痣が浮かび上がっている。

「うん……ちょっとね。アパートの階段から転げ落ちちゃって」

ハハ、と微笑む帝人に、誠二は妙な違和感を覚えたが——帝人の笑顔を見て、突っ込んで聞いても答えは返らないと判断し、相手に合わせる形で相づちを打つ。

「そうか……気を付けろよ」

「ありがとう」

帝人は軽く礼を言い、無邪気な笑みを浮かべたまま呟いた。

「……それにしても、もう、あれから一年以上も経つんだね」

「ん……？　ああ」

相手が何を言おうとしているのか、誠二は理解した。

一年前、誠二が『首』に執着した時に起こしたとある事件で、目の前の少年に多大な迷惑をかけた事がある。正確には誠二の姉の方がより帝人を危機的状況に追いやっていたのだが——

誠二はその事を知ってか知らずか、過去の自分を顧みて頭を下げる。

「あの時は……本当に、すまなかったな」

「僕は何もしてないよ。あれは、ダラーズみんなでやった事だから」

「そうか」

「もう、君も美香さんもダラーズの一員なんだからさ、気にする事ないよ」

——……？

そこで、誠二は違和感に気付く。

——帝人が、自分からダラーズの話をするなんで珍しいな。

池袋を拠点とする、『無色』をチームカラーとした、カラーギャングのような存在——『ダラーズ』。

誠二は、目の前の少年が『ダラーズ』の一員であると知っている。

しかも、何かただならぬ立場にいるという事も、事件当時の立ち回りや雰囲気などからなんとなく気付いてはいた。

だが、誠二は敢えてそれについて追及する事はしない。

彼はただ、『首』さえ愛していればいいのだから。

ダラーズと帝人への負い目も無かったわけではないが、彼の正体を確かめた所で、『首』のありかには近づけないだろうと判断していたのだ。

それからは、ちょくちょくクラスメイトとして付き合いつつ、何故か『首無しライダー』のマンションでの鍋パーティー呼ばれたり、妙な縁はあるものの、特に親友というわけでもなく、なあなあとした『クラスメイト』程度の関係を続けている。

しかし、そんな関係でも、いや、そんな関係だったからこそ、誠二は疑念を抱いた。

目の前の少年が、自分から『ダラーズ』という名を出したという事に。

「うん……。あの夜の事は、僕も忘れられない」

帝人のその言葉は、果たして誰に対して呟かれたものだったのか――

恐らくは帝人自身に対してであろうと誠二がなんとなく考えた頃には、帝人は既に一歩下がって手を挙げていた。

「じゃあね、矢霧君も張間さんも、何か困った事があったらいつでも言ってよ」

「え？　ああ……そうだな」

改まってそんな事を言われた事に戸惑い、誠二は気力の薄い相づちを打ったのだが――

「帝人君」

そんな誠二に代わって、美香が珍しく笑顔を消し、力強い調子で少年の名を口にした。

「杏里ちゃんを泣かせちゃダメだよ？」

「え？」

「……」

「？」

黙り込む帝人と、疑問符を頭に浮かべる誠二。

そんな二人の様子を見て、美香は真剣な表情を解き、クスリと笑いながら手を振った。

「じゃあ、また学校でね」

「あ……うん。またね」

柔和（にゅうわ）な笑みを浮かべながら去っていく少年の背を見送り、誠二と美香は再び露西亜寿司（ロシアずし）へと向かって歩き出した。


「……あいつ、なんかおかしくなかったか？」

何気なく尋ねた誠二に、美香は表情を変えぬまま頷（うなず）いた。

「うん。なんか、いつもの竜ケ峰（りゅうがみね）君じゃなかったね」

「顔の傷も酷（ひど）かったし、なんかあったのかな」

帝人の去った方向を振り返る誠二だが、美香はそんな誠二の手を引き、寿司屋のある方角へと引っ張っていく。

「まあ、私達が気にしても仕方ないよ！　早く行こ？」

「え……？　ああ、まあ、そうだな」

——何か変な事があれば学校で聞けばいいか。

誠二はそう判断し、美香にひっぱられるように60階通りを後にした。

珍しく積極的に先導する美香に、ほんの僅（わず）かな違和感を覚えながら。

♂♀

そんな彼らを、通りの陰から観察している女が一人。

「……誠二……」

どこか恍惚とも言える表情で、実の弟の背中を見つめる波江。

元気そうな誠二の姿を見て、波江の顔は安堵の色に包まれ、体の方は軽い興奮に包まれる。

──ああ……なんであの子ったら、後ろ姿だけでもあんなに可愛いのかしら。

陶然とした想いで弟の背を見つめるが、確かに波江にとって、誠二の背は輝いて見えた。

実際、誠二と同じ齢格好、髪型の青年は同じ通りに十名ほどいたのだが──双子に言われてこの通りに来た瞬間、波江は一秒と掛からずに誠二の背中を見つけ出したのだ。

だが、それは同時に、弟の横にいる女の姿も視界に入るという事だ。

「……張間……美香……」

名前を呟きながら、波江は軽く己の頬肉を噛んだ。

そして、そのまま肉の表面を僅かに噛み切り、口内に血の味を滲ませる。

鉄の臭いを己の口中に感じながら、波江は静かに目を細める。

──この味は……あの泥棒猫の血の味……。

どうやら、脳内で美香の首を噛み千切った事を想像したようだ。

想像をリアルにする為だけに、波江は白らの頬を噛み切った。

狂気とも言える弟への愛と、恋敵への憎しみを募らせながら、波江は静かに二人の後を尾行する。

「ハーイ、お姉さん、今ヒマで……」

ナンパなのか、あるいはスカウトの類か、彼女に声を掛けてきた男は、この数分の間にも何人かいたのだが――

「……邪魔よ」

波江はその度に表情を凍らせ、殺意を籠めた目つきで声をかけてきた男に視線を向ける。

いっそ蔑むような目や怒りの表情でもあれば、男も怒ったりしたかもしれないが、何の感情もなく、ただ事務的に『邪魔だ』という事実を伝える声色。

それ故に、男達は即座に理解する。

目の前の女は、殺意すら無く、本当に事務的にこちらを殺す事ができるのだろうと。

そして、その『作業』の候補になっているのは間違いなく自分だと。

「……っとおー、すいませぇーん」

だが声を掛ける男達も手慣れたもので、相手が『危険』と解った瞬間に、即座に身を引いて別の女性に声をかけていく。

そんな調子で尾行を続けていた波江だが、二人がとある寿司屋の中に入ったことを確認すると——そこで一旦身を翻し、人混みの流れに逆らう形で60階通りから去って行った。

瞳の中に、冷たい狂気とマグマのような愛欲の炎をぎらつかせながら。

♂♀

露西亜寿司

「ハーイ、カニ寿司、お待たせネ。生でヨシ、煮てヨシ、焼いてヨシ、人ヨシ街ヨシ味もヨシね。カニは天下の回りものヨ」

「それを言うなら金でしょう」

「オー、若いうちからカネカネ言うの良くないヨ。カネゴンねー。でも、そうね。蟹を回せば金も回るよ。私の店のカニとシャチョさんのお金を交換ね。回る回るメリーゴーランね。露西亜のカニと日本のお金交換ネ。回転寿司ネ。とてもお得ヨー」

「……」

ボイルされた蟹の握りを口に運びながら、誠二は呆れたように首を振る。

池袋でも一風変わった食事スポットとして有名な『露西亜寿司』。

和風の内装に露西亜風の装飾が施された独特の雰囲気の中、白人の店主と黒人の店員が手際よく客を回転させている。

誠二は、美香と共に過去に何度か来店しており、店員達とも顔馴染みではあるのだが——

「サイモンさん、あの人は？」

今日は、知らない顔が一つあった。

それは、若い白人の女性であり、サイモンと同じような、和風の制服らしきものを身に纏っている。そのギャップが妙な色っぽさも醸し出しており、顔も日本人から見て十分に美しいと言って良い造型をしていたのだが——

彼女の顔に浮かぶのは不機嫌一色といった表情であり、店の隅に立って何もしようとしていない。殺気を含んだ眼光で宙を睨み付けており、客も怖がって声をかけようとしていない状況である。

「オー、矢霧のボッチャン、あの子ガお気に入リ？　あの子、ヴァローナいう名前ネ。お持ち帰りＯＫよ。ボッチャン、恋人と愛人で両手に花ヨ。御飯は好きな人と一緒に食べる、美味しいヨ。一緒に寿司十人前お持ち帰りネ」

サイモンは冗談でそんな事を言うのだが、それを聞いた女は、不機嫌そうに口を開く。

「……否定します。私は自分の肉体を売買し御社の経営を助ける義務を負ってません。不買運動を請求します。ですが、その言葉が私に任務の依頼をするという意義であれば、肯定です」

「オー、これがジャパニーズセクハラ裁判ね。セクハラするのダメね、セクハラする子はハラキリよ。お腹切ったらもうお寿司食べられない、うちの家計が火の車ヨ」

首を振りながら厨房に戻っていくサイモンを見送った後も、誠二はなおもその『ヴァローナ』と呼ばれた女性に目を向けていたのだが——

「ダメだよ、誠二。他の女の人を気にしちゃ！」

ぷう、と頬を膨らませた美香が、誠二の腕を軽く引っ張った。

「？　ああ、そうだな」

納得しつつも、誠二は一つ疑問に思う。

——珍しいな。

——普段なら、『私の方が魅力的だから問題無いよ！』って言って気にしないのに。

——外国の人だからかな。

——……『首』も、元々は外国の顔だし、心配してるのかもな。

——無用な心配だけどな。

偽りの恋人が見せた小さな異変について、その程度の思慮で受け流す誠二。

美香もまた、あとはいつも通りの様子で、誠二に絡みながら食事を進めている。

まるで、付き合い始めたばかりのウブなカップルのように絡む美香と、それを冷静にあしらいつつも、決して邪険にはしない誠二。

　妙な作り物のような空気を周囲に振りまきつつも、彼らはハタから見れば、それなりに仲の良いカップルとして認識されていた。

　その後、件のヴァローナという女性が、店主と何かを話しているのが見え、彼女が顔をしかめながら裏に引っ込むのが見えたが――

　誠二にとって、もはやその女性の事はどうでもよくなっていた。

「……いやあ、いまだに『カーミラ才蔵』に出続ける羽島幽平は凄いと思うよ。だって、もうあんな変な役をやらなくてもいいぐらい稼いでるのに、次回作への出演についても、もうＯＫしてるって言うんだから」

「次は、ライバルのドラクル佐助が復活するとかいう話だっけ？」

「そうそう。でも、正直バカ映画だけどさ、石榴屋天神の特殊メイクは凄いんだよなあ。１の頃のも、聖辺ルリのメイクが独特の味を出してて良かったけど」

「聖辺ルリって、今、羽島幽平と付き合ってるんだよね」

　適度な会話を織り交ぜながら、食事を続ける二人。

「ああ、羽島幽平は、男の俺から見てもカッコイイと思うからね。世間は賛否両論って感じだけど、お似合いのカップルじゃないかと思うよ」

「私は、羽島幽平より誠二の方がずっと――」

相変わらず、一方的に惚気た言葉を吐き出しかけた美香だったが――

【美香、電話だぞ】【美香、電話だぞ】

誠二の声を使用した着信音が鳴り響き、美香はバッグから一台の携帯電話を取りだした。

「……その着信音、やっぱり気持ち悪くないか？」

「そうかな？　私は全然平気だよ？」

「大体、何時録音したんだ……」

ぶつぶつ言う誠二の横で、美香はディスプレイに目を向けた。

【非通知】

という表示に目を細めつつも、美香は通話ボタンを押し、自分の耳にスピーカーを当てる。

「……もしもし？」

そして――その電話を皮切りに、彼女の休日は流転する。

「……。うん、いいよ。ちょっと待って」

笑顔のまま頷き、美香はゆっくりと席を立つ。

「ごめんね、誠二、友達から電話きちゃったから、ちょっと外に出てるね」

「ああ、解った」

素っ気ない返事をする誠二に手を振り、美香は寿司屋の外に出て、入口の側で電話による会話を再開した。

外に出る美香を横目で見送りながら、誠二は寿司のメニューを眺めつつ、思う。

──美香に友達から電話なんて、珍しいな。

──園原かな？　そういやこないだ、竜ヶ峰と園原が、新しい携帯がどうのこうのって話をしてるのを見かけた気がする。

──あの二人の関係も、そういや良く解らないな。

──竜ヶ峰が園原を好きなのは解るし、一年の最後らへんの時、それについて声をかけた事もあるが、結局あの後どうなったのかは聞いてないな。

竜ヶ峰帝人は、美香の友達である園原杏里という少女と仲が良い。

それは学校内でも有名なのだが、恋人なのかどうか、というと、どうにも微妙に思える。

彼らとそれほど親しくない生徒には『え？　竜ヶ峰と園原って付き合ってるんじゃないの？』と言われる程度の仲の良さではあるが──少し前までは、もう一人の生徒が共に居たのも確かである。

──そもそも、紀田の奴が退学した理由も、竜ヶ峰なら知ってるのかな。

年度末に学校を去った、誠二の同期生である紀田正臣。

クラスが別だったので話した事は殆ど無いが、竜ケ峰帝人や園原杏里と共に行動をしていた事は知っている。

竜ケ峰と園原の二人がくっついたから、そのショックで退学したのでは――

そんな噂が流れた事もあったが、相変わらずハッキリしない二人の関係に、そうした噂もすぐに立ち消え、誠二にとっても、所詮は噂の一つでしかなかった。

――でも、園原は、美香の唯一と言っていいほどの友達だからなあ。

その少女にしても、これまで美香に電話してきた事など殆ど無い。

向こうは向こうでこちらの関係に気遣ってくれているというのは解り、美香に問いただした事もなかったのだが――だからこそ、今回の電話が特に気になった。

暫くすると、外から美香が戻ってくる。

彼女の表情には苦笑が浮かんでおり、こちらにウインクしながら手刀を切った。

「ごめん、誠二……。ちょっと友達から相談受けちゃって、これから会わなくちゃいけなくなっちゃったの」

申し訳なさそうに頭を下げる美香に、誠二はゆっくりと振り返りながら問いかける。

「ん……。友達って、園原?」

――この前みたいに、また魚料理をみんなに教えてくれとかそういうあれかな。

何気なく尋ねた誠二に、美香は笑いながら頷いた。

「そうそう。なんか、家族の事で相談があるって。本当は誠二と一緒にいたいんだけど……」

「俺は別にいいよ。美香はもっと友達も大事にした方がいいと思ってたとこだし」

「えー、私は誠二さえ居れば、友達全員捨ててもいいんだけど」

「怖い事を言ってないで、早く行ってやんなよ」

溜息混じりの誠二の言葉に、美香はもう一度だけ頭を下げ、寂しげな笑みを浮かべて一言。

「それじゃ、誠二、また明日ね！」

「ああ」

淡々としたやり取りの後、美香は寿司屋のカウンターの上に千円札を三枚置き、足早にその場を後にした。

「あ、おい、俺が出すからいいよ。おーい」

誠二はその千円札を摑みながら慌てて声をかけるが、聞こえていないのか、美香は止まる事無く店の外に出て行ってしまった。

追いかけようとしたのだが――

「ハーイ、カニの味噌汁、お待ちかねネー」

黒人の店員が、誠二の注文した商品を持ってくる。

誠二は暫し迷った後――

——まあ、明日（あした）、返せばいいか。

と、特に気にした様子もなく、自分一人で食事を続ける事にした。

♂♀

15分後　都内某所（ぼうしょ）　倉庫内

「……こんにちは」

繁華街（はんかがい）から離れた、国道沿いのとある一角。

誠二（せいじ）と別れた美香（みか）は、『矢霧（やぎり）製薬　第三資材倉庫』と書かれた建物の中に入り込んでいた。

倉庫というには随分（ずいぶん）と清楚（せいそ）な建築物で、傍目（はため）にはちょっとした研究施設と言っても通るような外観をしていた。

真っ白な外壁に、病院の入口のような門柱。

しかし——それはあくまで、外面だけの話だった。

建物の内部は確かに倉庫であり、小さな体育館ほどの広いスペースを中心として、その区画を囲む廊下（ろうか）を挟（はさ）み、気密性の高そうな小部屋やトイレ、給湯室などが並んでいる。

衝立（ついたて）によっていくつかの区画に分かれた倉庫区画には、それぞれの場所に何らかの資材や薬品が積み上げられており、広い空間を迷路のように作り替えていた。

だが、ここ最近は人の出入りが少ないのか——倉庫の片隅には蜘蛛の巣が張り、床には綿ぼこりが転がっているような状態である。

エントランスのガラス戸などから外の光は差し込んでいるものの、電灯はまったく点いていない状態だ。電気のスイッチがどこにあるのかも解らず、屋内は全体的に不気味な薄暗さに包まれている。

そんな、『製薬会社』の清潔なイメージとは程遠い状態になっている倉庫の入口で、美香は硬い表情で声を上げ続けた。

「……。こーんにーちーわー」

それこそ病院の入口を思わせるエントランスの中に、美香の声が響き渡る。

受付などは無く、目の前には広い区画の扉が開けられ、ダンボールなどが壁のように積み上げられている様子が見える。

美香は一歩奥へと足を踏み入れ、左右に延びる通路それぞれに視線を向けるが——突き当たりの角まで動く物の気配は無く、この場所だけ街の正常な時間から切り取られたかのような雰囲気だ。

美香は尚も周囲を警戒しつつ廊下を渡り、開かれたドアから倉庫に一歩足を踏み入れた。

刹那——

ガチャリ、という音がエントランスに響き渡る。
美香が振り返ると——そこでは、建物への入口となるガラス扉の前に立ち、その両開きのドアに鍵を掛ける女の姿があった。
長い髪を背に垂らし、清楚なイメージを湛えた一人の女。
それは——当然ながら、美香の知っている顔だった。

「待ってたわ。……いえ、待たせたわね。……張間美香さん、、、」


ゆらりと響くその言葉を聞き、美香は思う。

氷が燃えるとすれば、恐らくこんな空気を放つのだろうと。

それほどまでに、波江の声に籠められた感情は冷たく燃え上がっていた、、、、、、、、、、。

「本当に御免なさいね。貴女に、叶う筈の無い……長い長い夢を見させちゃって」

声を聞いただけで解る程の、圧倒的、感情。

だが、張間美香は怯えない。

寧ろ、挑むような目つきで眼前の女性を睨め付ける。

「お久しぶりです……お義姉さん」

ギチッ

ギチッ

ギチッ

ギギッ

奇妙(きみょう)な音が、エントランスに響き渡る。

美香は、それが波江の歯ぎしりの音であると気が付いた。

ガラス戸の前に立つ波江。彼女は逆光の中、一体どのような表情をしているのだろうか。

美香の位置からは見えないが、どんな表情だろうと関係ない。

歯ぎしりの音だけで、如何(いか)に彼女の周囲が『危険な状態』なのか推測できる。

恐らくは笑っているのだろう。——少なくとも、表面上は。

あるいは、本心から笑っている可能性もある。

美香はなんとなくそう思った。

「一年……」

実際、波江が次に吐(は)き出した言葉の中には、僅(わず)かに恍惚(こうこつ)の色が混じっていた。

「誠二(せいじ)の前から姿を消して、もうすぐ一年と一ヶ月。その間、私達はお互いに夢を見ていたのよ。私は悪夢を、貴女は儚い儚い邯鄲の夢を。……ふふ、邯鄲の夢なんて言葉、貴女みたいな無教養な人間に解るかしら？」

「……。無教養なんて、決めつけないでください」

「あら、嫌がる誠二に無理矢理自分の妄想を押しつけて、家の鍵をピッキングしてまで忍び込むなんて恥知らずな真似、少しでも教養のある人間にはとてもできないわ」

　皮肉に満ちた言葉。

　だが、美香はクスリ、と笑いながら、欠片の躊躇いもなく言い返す。

「死体を処理しようとして、私がまだ生きてると解った途端に、私を利用して整形までさせた人の言い分とは思えませんね」

「……」

「でも、私、お義姉さんには感謝してるんですよ。貴女がこの顔にしてくれたおかげで……私と誠二は、一緒にいる事ができるようになったんですから」

　ギチリ

　一際大きな異音がエントランスに響き渡る。

波江との距離は5メートル程離れているが、彼女の放つ殺気は美香の体にネットリとまとわりついていた。

だが、美香は上目遣いに波江を見下し、相手に対する挑発の混じった言葉を口にする。

「そもそも、誠二を愛したいままに愛せないなら、私は教養なんていりません」

もう、歯ぎしりの音は聞こえなかった。

波江が、それまで腰に回していた腕をゆっくりと振り上げたからだ。

「貴女如きが……私を『お義姉さん』と呼ばないで頂戴……」

彼女の手に握られている物は――銀色に輝く、医療用の肉斬り鋏。

「貴女如きが……誠二を……呼び捨てに……するなぁッ！」

怒号と同時に、波江はなんの躊躇いもなく、その鋏を投げつけた。


まるでダーツのように、美香の顔面に切っ先を向けて飛来する鋏。

鋏は異常な勢いで、美香と波江の間の重い空気を切り裂き――

次の瞬間、歪な音が屋内に響き渡った。

♂♀

張間美香がこの場所にやって来たのは、彼女の携帯に掛かってきた一本の電話だった。

「もしもし」

露西亜寿司の店内で食事を楽しんでいる時に取ったその電話の主は、開口一番にこう言った。

【……あなたと、誠二の事で個人的な話がしたいの。誠二には聞かれたくないんだけど、いいかしら？】

名乗る事すらせず、一方的に用件を伝える女の声。

だが、美香は相手の正体を尋ねる事すらせず、全て了承しているというような雰囲気で、誠二に聞こえるような声で相づちを打った。

「……。うん、いいよ。ちょっと待って」

そして、寿司屋の外で、電話の女は話の続きを口にする。

【……上手くごまかせたようね。誠二に対して嘘をつくなんて、本当に最低の女ね】

「あなただって、私の顔を弄って実の弟を騙したじゃないですか」

既に相手を波江だと確信して会話を続ける美香。

波江もまた、そんな挑発には欠片も乗じず言葉を返す。

【私は誠二に嘘をついたわけじゃない、愛しただけよ】

滅茶苦茶な事を呟いた後、波江は淡々と用件だけを口にした。

【誠二と貴女の探してる首……渡してあげてもいいわよ】

「え？」

【ただし、その前に……貴女と二人だけで話がしたいの】

嘘。

携帯を通した波江の言葉は、彼女と少しでも関わった者なら、即座に嘘と解るものだった。

「……そんなの、信じると思ってるんですか？」

【私もね、迷っているのよ。……首を海外の企業に引き渡せば、私の身の上を警察や矢霧製薬の連中から保護してもらえるっていう話が来たんだけど……。それは、私としても最後の手段にしたいの】

「……」

【でも、誠二に首を渡せば、首に誠二を奪われる。それだけは避けたい。私と貴女に利害の一致があるとすれば、その一点でしょう？　だから……首をどうするか、貴女と改めて相談したいのよ。誠二にはまだ知らせずにね】

波江の言葉には、欠片も信用できる要素がない。

しかし——美香は、敢えてその言葉に頷いた。

波江の言葉通りに、誠二には知らせず一人でここまでやってきたのだ。


結果として、彼女の顔面に鋏の切っ先が迫る事となったのだが——

何の警戒も準備もしていない程、美香はマヌケでも無知でもなかった。


ただし、マヌケでも無知でもないとはいえ——

女子高生として、やや異常な準備ではあったのだが。

♂♀

ギン、と、歪な金属音が屋内に響き渡る。

次の瞬間、鋏は天井に浅く突き刺さっており——美香の右手には、屋内の僅かな光を跳ね返す、銀色の『何か』が握られていた。

「……何よ、それ」

その手に握っているものを見て、波江は眉を顰める。

「何って……見て解りませんか？　教養、あるんですよね？」

挑発するような物言いの言葉に、波江は淡々と答えを返す。

「見れば解るわよ。私が言ってるのは、なんで、そんなものを持ち歩いてるのか、って事」

細められた波江の目に映るのは、美香の右手に握られた一つの『道具』。

それは――家庭菜園などで使われるような、先の鋭くなった一本のシャベルだった。

最初は、大きさや銀色の輝きなどを見て包丁だと思ったのだが、よく見ると、確かにそれは片手持ちのシャベルである。

美香の服装とも、この場所にも、状況にすら全くそぐわない一品だ。

だが、彼女がそれを咄嗟に振り回し、波江の投げはなった鋏を弾き飛ばしたのも事実である。

――何故そんなものを持ち歩いているのか？

波江ならずとも、今の状況を見れば疑問に思う事だろう。

人気の無い倉庫の中で女が二人。

一人は鋏を投げつけ、もう一人はシャベルでそれを跳ね返す。

明らかに異常な図だ。

しかし、その異常の中心にいる少女は――薄く笑いながら、更なる異常を口にする。

「少しは、信じてたんですよ」

「？」

「罠だっていうのは解ってましたけど、もしかしたら、本当に何か思う所があって、私に首を渡してくれるんじゃないかって。だって、誠二のお姉さんなんですから」

クスリと笑う美香。

だが、その目は決して笑っていない。

「お義姉さんは、誠二の家族っていうだけで、無条件の信頼が私からちょっとだけ得られるんですよ？　良かったですね！　お義姉さんは、誠二にもっともっともっと感謝すべきです！　神様にも感謝すべきですよ。誠二の家族として生まれてきた運命に、すごくすごくすごくすごくすごく感謝すべきだと思います！」

「戯れ言はいいわ。私は、そのシャベルは何か、って聞いているのよ」

波江の言葉に、美香は僅かに顔をうつむけ——ニイ、と口元を歪ませる。

「だって……本当に首が手に入ったら、必要じゃないですか、シャベル」

「……？」

「大きさだけ見たら、スイカが近いかな、って思って、色々試してみたんですよ？　中に色々な堅さの肉とか骨とかを詰めたりして、色んな物を使って実験したんです」

「……何を……言っているの？」

目の前の少女の声には、何ら異常を感じない。

それ故に、波江は気付く。目の前の少女が、決してハッタリや駆け引き目的の虚言を口にしているのではないという事に。

美香は、淡々と、淡々と事実だけを語り続けた。

「この大きさだと……やっぱり、このぐらいのシャベルが、丁度いいと思ったんです。味までは想像できませんけど、デュラハンの首の味なんて想像できませんから、、、、、、、、、、、、」

ゾワリ、と、波江の背に冷たい風が駆け抜けた。

何を言っているのか、常人ならば即座に理解はできないだろう。

だが、自らも異常の領域に足を踏み入れている波江は、僅か数秒の内に相手の言いたい事を理解したのだ。

——この子……。

もしも自分が逆の立場だったならば、恐らくはそうするだろうから。

——そう、そういう事。

「……あの首と、一つになる、とでも言うつもり？　非論理的だわ」

波江の言葉を聞き、自分の考えを理解して貰えたと確信したのだろう。美香は無邪気に笑いながら、あっさりとした調子で口を開いた。

「そうですね。でも、それがどうかしたんですか？」

「……どうもこうもないわ」

僅かに口元を緩めつつ、矢霧波江は考える。

そう、同じ事をする。

自分が美香の立場なら、彼女と同じ事を考えるだろう。

誠二が首しか愛さぬのなら、『首』を消すだけではダメだ。

そんな事をすれば、『首』が彼の中で永遠の存在となってしまうからだ。

ならば、自分が首になるしかない。

例え、どんなに非合理的で馬鹿げた方法であろうとも、首と一つになろうとするだろう。

——まあ……。

——私なら、首の顔を削いで、自分の顔とすげ替えるでしょうけどね。

実際、波江にはそれができるだけの環境はあった。

それをしないのは、しなかったのは、彼女の中に『姉』として積み重ねてきたプライドがあるからだ。それまで積み重ねてきた彼女なりの『愛』を捨てる事ができなかった。

そうした自分の気質を波江自身が解っているからこそ——

波江は、張間美香という女が許せなかった。

「……認識を改めるわ」

腰に伸ばした手が、ベルトに付けられていたある物に触れ、波江はその物体にゆっくりと指先を絡ませる。

そして、掴みとったそのモノを腰の専用ケースから引き抜き——美香の視界の中に、不気味なシルエットとして浮かび上がらせる。

「貴女は単なる邪魔者と思っていたけど……この瞬間から、貴女を私の『恋敵』にしてあげる」

波江が手にしたそれは——所々に錆の跡が窺える、古びた医療用の骨ノコギリだった。

彼女はカツリ、と小気味よい靴音を屋内に響かせ、流れるような動きで美香に向かって加速していく。

手にした道具を凶器と成し、弟への歪んだ愛だけを身に纏いながら——

この瞬間、彼女は張間美香という獲物を狩る、純粋な狩人と化した。

「ま、どちらにしろ……やる事は変わらないんだけどね」

♂♀

数十分前　携帯電話同士による、とある通話内容

『もしもし』

「もしもし、岸谷先生かしら。お久しぶりね」

『ああ！　ああ、ああ！　お久しぶりですね！　まだ生きていたとは、ご無事をお祝いすれば

よろしいですか？』

「……無駄な挨拶はいいわ。今日、緊急の手術をお願いしたいんだけど、矢霧の三号倉庫に来て頂けないかしら。まだあの施設はネブラの整理が始まってないから、楽に入れるわ」

『おやおや、誰かに撃たれでもしましたか？　声を聞く限りは元気そうですけど』

「……去年と同じ手術をお願いしたいだけよ。女の顔を一人分造り変えてほしいの。前に一度手術した子だから、やりやすいんじゃないかしら？」

『……あー、まあ、その辺の事情は聞きませんけど、明日の夜でいいですか？』

「あら、今からは無理なのかしら？」

『残念、今日は私はオフで、今、ちょっと東京を離れているんですよ』

「そう……残念。運が悪かったわね。彼女」

『……彼女？』

「ええ」

「私が直接顔を切り刻む事になるから……多分、とても痛い事になるでしょうからね」

『人として、止めた方がいいかな？』

「もう何をしても手遅れよ。そもそも、そんなことを気にするキャラじゃないでしょう？」

『例の彼女は、セルティの料理の師匠なんだけどねえ』

「ああ、安心しなさい。殺すのが目的なら、いちいち貴方に電話なんかしないわ」

波江はそこで電話を切り、独り言として携帯電話にむかって呟いた。

「とりあえず、先生の御希望に添えて……舌と右手ぐらいは動くようにしておいてあげる」

♂♀

現在　倉庫内部

「いい加減にしなさい……。舌と右手は動くようにしておいてあげるつもりだけど……ちょこまか逃げると、それも保証はできないわよ」

積み上げられたダンボールや木箱、小型コンテナの山による簡易的な迷宮。

その中に、骨ノコギリを手にした波江の声が響き渡る。

「私、整形手術は素人なの」

女同士の鬼ごっこは、既に10分近く続いていた。

追う側の波江の放つ空気は、まさしく鬼女というに相応しい。

最初の一撃をショベルでかろうじて受け止めた美香は、そのまま波江を押し倒し、倉庫の中へと逃げ込んだのだ。

開け放たれた廊下から漏れる光のみが照らす、薄暗い迷路の中——資材の壁の向こうから、やや緊張した調子の美香の声が木霊した。

「意外ですね！　問答無用で殺しに来るのかと思ってました！」

「だったら、貴女が入った時点で建物に毒ガスでも流してるわ」

カツリ、カツリと、迷宮の主のように堂々と歩む嫉妬の女王。

よく見ると、腰には骨ノコギリの入っていたケースとは別の、いくつかの袋に分けられたウエストポーチが装着されている。

「貴女に求めているのは消失じゃなくて、私から誠二を奪おうとした事に対する後悔よ。それに……行方不明にしたりしたら、誠二は貴女の事を探し出しちゃうかもしれないでしょう？　あの子、優しいから……。そんな無駄な時間を過ごして欲しくはないし、貴女の死体を見せるなんて事もなるべくならしたくないの」

弟の顔を想い浮かべながら、体を僅かに震わせる波江。

「……やっぱりあの子は優しいから、代役に過ぎない貴女の死にも、深い悲しみを覚えるかもしれないでしょう？　その同情を愛情だなんて勘違いしたら大変だしね」

「アハハ、誠二がとっても優しい、っていうのには同意です！」

「……誠二を……呼び捨てにするな」

声のトーンが下がり、波江は体を大きく捻りあげ——

大型の工作機械を想像させる程の後ろ回し蹴りを、スチール棚に積まれたダンボールに叩き込んだ。

ダルマ落としのように、勢いよく棚の反対側へと飛び出すダンボール。

その先で、短く息を呑む音が聞こえる。

——外したか。

彼女は別段格闘技の達人というわけでも、平和島静雄のような怪力の持ち主でもない。

ただし、護身用の武術を幼い頃に習っていた事と——感情が一時的に体のリミッターを外した状態とが重なり、今の一撃を繰り出す事ができたのだ。

実際、今の蹴りで足が折れていてもおかしくはなく——どちらにせよ、明日には筋肉や関節が悲鳴をあげる事だろう。

ともあれ——波江は、その一瞬の好機を逃すような真似はしなかった。

即座に床を蹴り、棚に出現したダンボール一箱分の空白——すなわち、反対側への抜け道へと体を躍らせた。

体操選手か、はたまたセンサーをくぐり抜ける怪盗か。

常人離れした動きではなかったが、普通の人間がなんの躊躇いもなくできる行為ではない。

下手をすれば大怪我をしてもおかしくない行為だったが、波江は欠片も恐れなかった。

スライディングするような形で棚を通り抜けた波江は、横向きに倒れたダンボールの周囲に視線を巡らせる。

だが――

――いない⁉

息を呑む音は、たしかにこの位置から聞こえた筈だ。それからまだ数秒しか経過していない。

資材の壁に挟まれた疑似通路の左右を見るが、そこには何も見あたらなかった。

――どこに……。

刹那、緊張状態にあった彼女の耳は、何かが擦れる音をキャッチした。

彼女の前後でも左右でもなく――上方から。

「……ッ！」

上を向きながら、飛び退ろうとしたが、既に遅かった。

「えいやッ」

ダンボールが蹴り落とされた瞬間、息を呑みつつも棚に駆け上っていた美香が、波江の体に覆い被さる形で、勢いよく飛びかかったのだ。

——何が『えいや』よ、このカマト……

「あッ……！」

勢いよく床に押し倒され、波江は小さな悲鳴をあげる。

美香はそのまま波江の体に覆い被さり、マウントに近い形で胴体の上に座り込んだ。

スカートの下では、美香の内股が波江の双丘と触れ合い、柔らかい肉を互いに撓ませている。

二人の体勢だけを見れば、何とも淫靡な光景なのだが——

波江の喉元に突きつけられたシャベルが、全てを台無しにしてしまっている。

「……動かないで下さいね☆」

ニッコリと微笑みつつ、小悪魔は眼下の鬼女を見下ろした。

美香は波江の喉にシャベルの先をゆっくりと突く。

呼吸に合わせて波江の胸が上下し、美香の太股と上着越しに擦れ合う。そんな感触を受け、美香は苦笑しながら呟いた。

「……お義姉さんって、思ってたよりずっとスタイルいいんですね、アハハ」

軽口を叩いてはいるが、美香の目は笑っていない。

いや、笑ってはいるのだが——どことなく狂気の色が浮かんでおり、通常の『笑み』とは明らかに違っていた。

「で、どうなんですか？　『首』のありか……教えてくれます……よね？」

喉のシャベルに、少しずつ力が籠められていく。

波江は命の危機とも言えるこの状況に対し、まずは賞賛の言葉を口にした。

「……やるじゃない。運動神経があるとは思わなかったわ」

「マンションの壁とかフェンスなら、何度か乗り越えた経験がありますから」

「犯罪自慢にしか聞こえないわ。今時の子ね。ブログにでも書いて叩かれなさい。そして誠二に別れを告げて自害しなさい」

嘲りと殺意が混じった挑発にも、美香は欠片も怯まず、淡々とシャベルに体重をかけていく。

ゆっくりと。ゆっくりと。

だが——その動きが急に止まり、美香の手からシャベルがこぼれ落ちる。

「うあ……？　あ、あれ……？」

波江の喉の上から離れたシャベルは、カラリという音を立てて床の上に転がった。

「なんで……手に……力が……」

「やれやれ、やっと効いてきたわね」

溜息を吐きながら、波江は自由となっていた左手を美香の前に差し出した。

そこには、骨ノコギリの代わりに、波江が腰のポーチから取り出したと思しき物体が握られている。

「昔、ネブラから買い取った、最新型の無痛注射器よ。刺されてる、っていうより、足を引き剝がそうと指で摑んでる、ぐらいの感覚しかなかったでしょう？」

波江はそれだけ告げると、その無痛式注射器を床の上に投げ捨てた。

そして、力の抜けた美香の体を、ごろりと左側に転がし——先刻までとは上下が逆となる形に追い込んだ。

「私が昔造った、弛緩剤の一種よ。死んだりはしないから安心しなさい」

美香とは違い、腰の上に座るような形でマウントを取り、美香の顔をまじまじと覗き込む。

「本当に……忌々しい顔ね。あの闇医者、本当にいい仕事をしたわ」

かすれるような声で呟き、その頰を優しく撫でる。

「あ……」

「……ところで、貴女……誠二とは、何処までいったの？」

唐突に、仲の良い女子高生同士のような事を尋ねる波江。

ただし、その顔は女学生同士のものとは違い——全く笑っていないのだが。

「……恥ずかしい事、言わせないで下さいよう」

目を逸らす美香に、尚も波江は問いかける。

「……キスぐらいは、したのかしら」

「……」

その問いに対し、美香は一度視線を波江に戻し、再びあらぬ方向へと目を逸らした。

「……したのね」

波江は相手の反応から、既にキスまでは済んでいると判断した。

そして——

「だったら……どうだって……むぐぅ?」

波江は上半身を前に倒し、自らの唇で美香の口を塞ぎ込んだ。

「む!! むむーっ!?」

美香は手足をばたつかせようとするが、いまだに体は思うように動かない。

永遠とも思える数秒が過ぎ、波江はゆっくりと美香の口から顔を離す。

そして、嫌悪と憎悪に満ちた冷たい視線を投げかけた。

「あなたの顔に……誠二とのキスの感覚が残るなんて許せないの。……女同士でなんて気持ち悪いけど、誠二との間接キスだと思えば、蕩けるような思いにもなるわ」

相手が動けなくなった事への余裕なのか、波江の口元には少しずつ余裕の笑みが浮かびつつある。

そして、彼女の笑みは更に酷薄な色へと歪み——腰のポーチから、薬瓶を一つ取り出した。

「……骨ノコギリで切り刻んであげてもよかったけどね」

焦げ茶色のビンにはなんのラベルも貼られておらず、その中身について波江が淡々と語り始める。

「まあ……これは私が作ったわけじゃないんだけど……。人の肌を、死なない程度に醜く焼けただれさせる為だけに調合された劇薬、って所かしら。硫酸とかでも良かったんだけど、死なない程度って加減が良く解らないから、これにしたの」

「……」

「全く、趣味の悪い物を作る人もいるわよね……。でも、貴女にはぴったりの薬でしょう？」

波江の目に、誇張や脅しの気配はない。本当に、ただ淡々と事実だけを告げている目だ。

美香はそう判断した。

この女は、実際に今から美香の顔の破壊を実行するだろう。

そんな確信はあるのだが、美香の体は今だに動かない状況だ。

「もっと怯えなさいよ。その『顔』が恐怖に歪む顔、ちょっと見てみたいと思ってたの」

波江は薬瓶を握りながら数秒待ってみるが、美香は悲鳴を上げたり、許しを懇願するような事はしなかった。

溜息を吐き出し、波江は薬瓶の蓋に手をかける。

「……その顔が残っているうちに、何か言っておきたい事はある？」

波江の言葉は、慈悲だったのか、それとも自分の優位を確定づける為の示威行為だったのか。

いずれにせよ——
その問いかけが、張間美香という少女からおぞましい事実を引き出した。

「邯鄲の夢は……栄枯盛衰を意味する言葉……です」


「……はあ？」

波江は、唐突すぎる美香の言葉に、思わず眉を顰めて動きを止める。

そんな波江に、美香は微笑みを——手足の筋肉の弛緩に伴うものかと思える程の緩やかな笑みを浮かべ、同じぐらい緩やかな調子で言葉を紡ぎ続ける。

「最初に……この建物の中に入った時、言いましたよね……。邯鄲の夢の意味なんて……解らないんじゃないかって……。でも……知ってますよ……私も……色々……知ってるんですよ？」

「……？　言い残す言葉は、それでいいのかしら⁉」

最後の悪あがきで、強がっているだけだ。

波江はそう感じた。感じようとした。

自分の中に湧き上がる『悪寒』は、ただの気のせいに過ぎないと。

だが、波江はそれが間違いであると──次に美香が吐き出した言葉で思い知らされた。

「甘楽は、い、い、い、折原臨也」

──え？

波江は、相手が何を言い出したのか一瞬理解できなかった。

甘楽というのは、彼女の雇い主である臨也が、特定のチャットルームで使用しているハンドルネームだ。

──何を、そんな事……

ふと、考える。

──……？

──この雌猫……なんで臨也のハンドルネームを？

──ていうか、そもそも、臨也に会った事なんて……無いんじゃ……。

「太郎は……竜ケ峰君」

「……」

「セットンは……セルティさん。罪歌は……杏里ちゃん。バキュラは……紀田君。舞と狂は、折原臨也の妹の、マイルとクルリ」

ゾワリ。

緩やかな笑顔のまま紡がれる美香の言葉に、波江は今度こそハッキリと寒気を感じた。

「折原臨也や、お義姉さんが……人を騙す時に使うハンドルネームは……奈倉」

「ちょっと……」

「竜ヶ峰君は……ダラーズの創始者……。杏里ちゃんは、罪歌っていう妖刀に取り憑かれてて……紀田君は、黄巾賊のリーダー。でも、多分だけど、三人はお互いにそれを知らない」

止めようと思ったが、波江の体は動かない。

本能か好奇心か、それとも純粋な畏れだろうか。

「杏里ちゃんに……昨日と一昨日……怪我させようとしてたのは……ロシアの二人組……ヴァローナとスローン……日本語だとカラスと象って意味……。折原臨也が……頼んだ……」

——何故、知っている？

という疑問は徐々に変質を遂げ、波江の体を強く強く強ばらせる。

——どこまで、知っている？

「スローンは……ヴァローナよりも深く……折原臨也と関わってた。だから、臨也はスローンから、粟楠会での仕事内容を聞いて……平和島静雄さんを……罠にかけようとした。そして、ゆうべ、誰かに刺されて、入院してる」

「……っ！」

全ての言葉が、決定打だった。

最後の一つは、波江も今朝知ったばかりの情報ではあるが――それまでの情報も、決して美香は知り得ない筈の情報だ。

「どうして……知ってるの？」

「やだなぁ……いつも通り……ですよ。今、盗聴器って、すっごく安くて……すっごくすっごく小さいんですよ……？　私は……だから……誠二がこの先に関わりそうな人たちの周りに……色々……仕掛けただけですよ。あと……クラッキングとか……色々覚えました……」

「……っ！」

「折原臨也の所だけは……すぐに盗聴器は見つかっちゃったけど……。でも、電話の会話なら、相手の携帯にも仕掛けてあれば……聞こえますから……。貴女達以外の事も言いましょうか？　例えば、帝人君は夕べ……ボールペンを……」

「……。もういいわ、黙りなさい」

――盗聴……？

――そんなバカな。

にわかに現実を受けいれられず、波江はなおも動く事ができない。

「どうですか……？　まだ、他にも色々知ってますよ……？　臨也さんと貴女が、粟楠会の他に……明日機組とも繋がってるって事とか……」

「……嘘よ……だって貴女、いままでそんな素振り……。そうよ、もしも今言ってたような事を全部知ってたっていうなら……。止めることができたでしょう！」

「え……？」

「貴女のお友達の事よ！　臨也のバカが貴女のお友達を上手く誘導して、町を引っかき回した時……全部知ってたなら、そうよ、『罪歌』の事まで知ってたなら……！　なんとでも回避する事ができた筈だわ！　あのいざこざは！　紀田正臣が、あんな大怪我をする前に！」

「……」

その問いに、美香は少しだけ哀しそうな顔をした。

「杏里ちゃんは……私が知ってるって事を知らないから……。私が誠二さんの部屋に盗聴器を仕掛けたりしたみたいに、私が杏里ちゃんや竜ヶ峰君の事も色々調べてるって事を……多分、知らないんです」

「そんなの……関係ないじゃない……」

「私が、全部知ってるって言って……直接助けたら……私は、そのゴタ、、、ゴタに足を踏み入れる事になっちゃうじゃないですか。私だけなら、まだいいです。私が杏里ちゃんや竜ヶ峰君に嫌われたり、警察に捕まるのは、別にいいです。だけど……」

一瞬だけ目を閉じる美香。波江はその僅かな沈黙だけで、彼女の言いたい事を理解する。

そして——美香は、波江が想像した通りの言葉を口にした。

「誠二がもし、竜ヶ峰君達の裏の事情を全部知ったら、竜ヶ峰君への借りを返すとかなんとか言って、絶対関わろうとするから……。だから、知っちゃいけないんです。誠二さん、ぶっきらぼうに見えるかもしれないけど……本当はとっても優しい人だから。……私と杏里ちゃんをチンピラから助けてくれた時みたいに……」

「……」

「だから……だから、私は、誠二の周りの人達の事も、調べて、調べて、調べて、調べて、調べて、調べて、調べたんです……。誠二が、危険な事に巻き込まれたりしないように……」

美香は、そのまま黙り込む。

波江も暫し口を閉ざし、倉庫内に時間が凍り付いたかのような静寂が流れた。

だが——

「……貴女の想いは解ったわ。貴女が私が想像していた以上に有能だって事も……想像以上に、異常だって事もね」

波江はそう呟いて、ゆっくりと硝子瓶の蓋を開ける。

それを見て、美香は薄く微笑みながら考えた。

――顔に液体を掛けられた瞬間、息を思い切り噴き出せば、お義姉さんの顔も道連れにできるかなあ。

――……。やっぱり、どうでもいいや。

――家族まで大けがしたら、誠二が悲しむだけだもんね。

そんな美香の想いを知る事もないまま、波江はゆっくりと瓶のキャップを捻っていく。

もっとも、例えそんな健気な想いを知った所で、波江は手を止める事はなかったろうが。

だが、硝子瓶の蓋がまさに開かれようとしたその瞬間、波江の手は止まる事になる。

自らの意思で止めたのではなく――唐突に横から伸びてきた見覚えのある手によって、手首を強く掴まれたからだ。

「……そこまでだよ、姉さん」

「せっ……」

声を聞いた瞬間――波江は、手だけではなく心臓が止まるかと思った。

衝撃の理由は、焦りか悦びか、それとも歪んだ愛情ゆえか。

「誠二……！」「誠二!?」

波江と美香、二人の女が驚愕に目を見開いた。

「どうして……？」

何故、彼がここにいるのか。

美香は、そんな疑念の声を口にし——

波江は、疑問などどうでも良いといった調子で薬瓶を投げ捨て、立ち上がると同時に誠二の体を強く強く抱きしめた。

「誠二……ああ、誠二！　良かった……まだ私の事を姉さんと呼んでくれるのね……！」

「ちょ、姉さん、痛い痛い」

強く抱きしめてくる姉を引き剥がしつつ、誠二は美香に歩み寄る。

「大丈夫か？　美香」

「う、うん……」

「そうか。良かった」

淡々とした調子で頷くと、誠二は姉に向き直る。

「姉さん」

「……せ、誠二」

先刻までの鬼女の形相は何処へやら、今は雨に濡れる子犬のような表情で誠二の顔を見つめている。

そんな姉に対し、誠二は溜息を吐きながら呟いた。

「……何があったか知らないけど……。やりすぎ、っていうのは解るよね、姉さん」

「う……」

「もしも、今、美香の顔に怪我させてたら……俺は、姉さんの事を嫌いになってたよ」

「……っ！」

解ってはいた事だ。

波江にとっては、それも覚悟の上での行動のつもりだった。

しかし、実際に面と向かって言われた瞬間、彼女は自分の覚悟が甘かった事を思い知らされる。それほどの『恐怖』が波江の体に走ったのだ。

「い、いつから見てたの……？」

「……姉さんが、美香にキスしたところぐらいから」

「……！」

その答えに驚愕の表情を浮かべたのは、美香の方だった。

彼女にとっては、自分が帝人たちの秘密を知っているという事は、誠二にも秘密にしていた事なのだ。それなのに、結果として全て聞かれてしまった事になる。

誠二だけでなく、誠二の友人にまで盗聴器などを仕掛けている事がばれてしまったのだ。

「あ、あああ……」

「なんか二人がキスしてるし、状況が良く解らなかったから、暫く様子を見てたけど……なんか危なそうな雰囲気だったから止めたんだ」

誠二の表情は硬く、倉庫の暗がりという事も相まって、呆れているようにも怒っているようにも見える。

そんな彼の表情を見て、美香も波江もオロオロと視線を泳がせた。

やがて状況に耐えかね、波江が誠二に問いかける。

「ど、どうしてここが……」

「……寿司屋から出て、家に帰ってたらさ……潰れた古道具屋の前で、園原に会ったんだ」

「え……」

「で、聞いて見たら、美香に電話なんかしてない、っていうじゃないか。美香に電話しても留守電になってるし、ちょっと心配になって、知り合いに片っ端から電話を掛けたんだけど……もう、ダメ元でさ、こないだの鍋パーティーの時に会った人達にまであたってみたら……」

誠二はそこで一旦言葉を止め、頬を掻きながら淡々と呟いた。

「岸谷先生が、多分ここだって……」

単純明快な答えを聞いて、波江は一時間前に電話した男の顔を思い出した。

——あの……あの変態眼鏡……っ！

——あ、あああ、あいつも、あいつも、黒バイクと一緒に絶対始末してやるわ……！

心にマグマを煮えたぎらせつつ、どうやってあの闇医者をキャンと言わせてやろうかと思案していた波江だが――

怒りに震えていた唇が、不意に何かによって塞がれた。

――!?

目の前が、何故か急にまっくらになる。

唇だけでなく、頬と鼻にも何かが当たっている感触。

ヒア、と、美香が先刻より大きく息を呑む声が聞こえてきた。

……?

視界が開けると――そこには、自分の顔から離れていく誠二の顔があった。

「な？　恋人でもない奴からこんな事されると凄く嫌だろう？　だから、姉さんも美香に謝っ……そもそも……昔から……んは……俺の友達の女の子に対して………いつもそんな事を……」

誠二が何かを言っているが、もはや波江の脳には半分も届かない。

……!?

今しがたの感触の正体が、誠二からの接吻だと気付き――

……！　!?　？　！　！　!?

矢霧波江は、気付けばその場から走り出していた。

「あっ⁉ 姉さん、待てよ！ あの『首』は何処に……！」

誠二は慌てて呼び止めようとするが、波江には既に聞こえていなかった。

熱い衝撃が彼女の中で爆発し、心臓を通して全身の筋肉を激しく収縮させる。

生きたエンジンのようになった矢霧波江は――

全身の筋肉が疲弊しきるまで、その後5分に渡って全力疾走を続ける事となった。

♂♀

5分後　池袋某所

「どうして怒ってるんだよ」

「怒ってないもん」

「怒ってるじゃん」

矢霧製薬の倉庫から離れた場所で、誠二と美香がそんなやり取りを繰り返す。

薬の影響が残っている美香を背負い、誠二はタクシーが通りかかるのを待っていたのだが
――どうにも先刻から、美香の様子がおかしい。

「解ったよ、怒ってないのは解った。じゃあ、俺が何をしたのか言ってくれ」

「……誠二は、女心が解ってなさ過ぎだよ」

ようやく動くようになった首を横に向け、少女は誠二の肩に膨らませた頬を押しつける。

「誠二が私じゃなくて、私の顔を愛してるっていうのは……本当の『首』を愛してるってのは知ってるけど……でも、だからこそ、本当に好きな人がいるなら、姉弟でもキスなんてしちゃダメだよ……」

普段は、いくら誠二が他の女と話していようと気にしない美香だったが、今は何故か、心にいつもと違う感情が流れていた。

それはやはり、相手が明確な『恋敵』でもある、矢霧波江が相手だったからだろうか。

——……最低だ。

——誠二に秘密を知られて、きっと誠二の方が私よりずっと怒ってるのに……。

誠二に対して一方的に毒づいている自分が嫌になり、美香は彼の背に顔を埋めて泣こうとしたのだが——

「してないよ」

「……？」

誠二は、あっけらかんと自分の行為について種明かしをする。

「左手で姉さんの顔を一気に引き寄せた時、こうやって、指を口との間に挟んでたんだ」

指でチョキの形を作り、立てられた指を閉じて横に倒す誠二。

自らの唇の上に重ね合わせる動作を見せた後、首を捻りながら呟いた。

「なぜだか姉さんは、本当のキスだと思ったみたいだけど……。あんな勢いで逃げた所を見ると、気持ち悪がられたのかな。姉さんだって昔はよく俺に抱きついたりしてきた癖に……」

ぶつぶつと文句を言い続ける誠二の言葉を、ポカンと口を開いて聞いていた美香だったが――ゆっくりとその口を閉じ、やや尖らせながら呟いた。

「……それでも、酷いよ」

「酷いのかな?」

「うん。こういうのは、理屈じゃないの」

拗ねているような調子の美香の声を聞き、誠二は思わず笑いを溢す。

「ははっ」

「……何がおかしいの?」

「やっと、そういう事を言ってくれたな」

「……え?」

顔をあげる美香に、肩越しに話しかける誠二。

いつもよりも若干機嫌がよさそうで、

「普段から、美香って俺の言う事にハイハイって頷いてばかりだからさ、正直なんか、こう……新鮮だよ」

「誠二……」

「それに、今日は他にも色々驚いたしな」

「……っ！」

美香は再び体を強ばらせる。

自分が、誠二の知り合いの色々な場所に『探り』を入れ、誠二を危険な目に巻き込まないようにしていたという事。

知られてはならない、自分でも『異常』と自覚している部分だ。

張間美香は、愛する人の家に忍び込んだり、盗聴器を仕掛ける事が『異常』とは思っていない。本来ならば十分異常なのだが、彼女の常識には通じない。

だが、『愛していない人の生活まで探る事』は、人から見れば異常と思われるであろう事は理解していた。

異常と正常の曖昧な境界。何を基準にしているのか、彼女自身にしか解らない事だが――いずれにせよ、彼女自身も異常と理解していた事を、愛する誠二に知られてしまったのだ。

「えっと……」

何か言わねばと思うのだが、何も言葉が出てこない。普段の誠二に対して尽きることない『愛』を語る事はできるのだが、こういう時に何をすればいいのかが解らないのだ。

しかし、そんな美香よりも先に、誠二の方が口を開いた。

「ごめんな」

「え？」

「俺は……善人なつもりなんて無いが、お節介だからさ。知り合いが困ってたら、なんだかんだ言って首を突っ込んじまうかもしれない」

「誠二……」

──なんで。

──なんで、誠二の方が謝るの？

美香は、何かを言おうとした。

しかし、誠二がそれを止めるように、続きの言葉を口にする。

「だけど……俺は、美香のしてくれてた事も否定しない」

「……」

「俺にはもう、愛がなんなのか、っていうのは解らなくなってる。ただ、俺は『首』を愛している、っていう実感があるだけだ。説明はできない。理屈じゃないんだ。俺に言えるのは、ただそれだけだ。俺は美香を愛していないし、姉さんも姉弟として好きなだけだ。向こうはどう思ってるか知らないけど」

「うん……解ってる」

今までにも、何度か聞いた言葉だ。

誠二の言葉はどこまでもストレートだが、偽りはない。

そんな誠二が、やや間を空けてから呟いた。

「だけど……お前を否定する事だけはしない。止めるかもしれないけれど、否定はしない。俺は、お前の『愛』を尊重する。受け入れるかどうかは別としてな」

「……っ！」

「お前が俺を愛する為に、誰かに迷惑をかけたとしても……俺には、それを止める権利なんてない。さっきの話で、竜ケ峰の名前とか、カンラだのサイカだの知らない単語が出てきちゃいたが、俺は、とりあえずは気にしない事にする」

──彼は、私を愛していない。

「ま、詳しくは後で聞くよ。それから、俺達はどうするか話し合おう。……もしかしたら、その、俺を近づけたくないゴタゴタって奴に『本物の首』が絡んでるかもしれないしな」

「……うん」

──だけど誠二は、私が愛する事を許してくれる。

笑いながら頷く美香に、誠二は呆れた調子で言葉を返す
「……こんなにワガママな事を言ってるのに、お前、本当に俺の何処が好きなんだ？」

いつもと同じ問い。

だが、今日の美香は、いつもと違う答えを口にした。

「……誠二が、『張間美香』を愛してくれたら教えてあげる！」

「……それは、友達として、ってのはありか？」

「ううん、恋人として」

「じゃあ、それを知るのは諦めるよ」

自分が一方的に愛を注ぐ事ができる。

美香にとっては、それで十分だった。

彼女が大事なのは、誠二の心ではない。誠二に対する自分の愛なのだから。

異常な少女の奇妙な愛情。

だが、相手を愛さぬまま、そうした異常を理解した上で受け入れる誠二もまた——十分に、異常な側の住人であると言えよう。

今の所、美香は自分の愛は祝福されていると感じていた。

あくまで、『今のところ』の話だが。

傾き始めた日に照らされる町の中、美香を背負った誠二がゆっくりと歩き続ける。

取り留めもない話を続けながら、周囲の通行人の冷やかすような視線も気にせず、二人だけの時間がゆるりゆらりと過ぎていく。

「まだ、動けないか？」

「うん」

「嘘だろ」

「うん」

「まあ、いいや。……首のありか……姉さんに聞きそびれたな」

「多分、あの人はもう知らないんじゃないかな」

「……そうか。やっぱり、さっきの話に出てた『折原臨也』が持ってるのかな。その名前は、噂で何回か聞いたことあるし、俺もどこかで会ってたかもしれないけど……マンションとかを探して忍び込んでみるか」

「それなら、忍び込む必要はないよ」

「え？」

「もう、折原臨也の持ってるマンションを三つ探して、何回か忍び込んで調べてるけど……『首』はどこにも無かったよ」

「……そうか、じゃあ、しょうがないな」

「あと、あんまり忍び込んだりするのは良くないと思うぞ」

「うん」

「……俺より先に、首を見つけてたらどうしてた？」

「食べてた」

「は？」

「首と一つになれば、誠二は私を好きになってくれるでしょ？」

「たぶん、ならないなあ。ていうか、前提に無理があるぞ、それ」

「なんで？」

「そんなこと、俺が絶対阻止するからだ」

「私を殺してでも？」

「ああ」

「やっぱりそう」

「……俺の事、嫌いになったか？」

「え？　なんで？」

「いや、いい」

「私の……顔じゃなくて、『張間美香』の事はどう？　嫌いになった？」

「いや、別に……」

「！　じゃあ、好きになった!?」

「いや、別に……」

「えー」「えー、じゃないだろ」

「うん、嘘だよ。今のエーは嘘」「なんだそりゃ」

「……」「……」

終わることのない会話を続けながら、二人は街の雑踏に消えていく。

少女の愛は、異常だった。

姉の愛も、異常だった。

だが、そんな彼女たちの愛を顔色一つ変えずに受け流す少年は――

ある意味では、最も異常な存在なのかもしれない。

そんな異常な三角関係すらをも受け入れて――

池袋の町は、今日もいつも通りの音を奏で続けた。

大きな流れに呑み込むように。

ゆるりゆるりと、壮大に――

♂♀

夜　新宿某マンション

相変わらず主の帰らぬマンションの中で、居候である波江がシャワーを浴びる。

「誠二……」

波江は、今日だけで何度その名を呟いた事だろう。

シャワーを浴びている間だけでも、もう百回近くは呟いている。

唇の部分を押さえた後、波江は自分の体を抱きしめる。

——考えて見れば、男とキスをしたのは、あれが初めて、か……。

『男と』と限定しているのは、直前の美香とのキスをカウントしているのか、あるいは他にも女性経験があるのだろうか。

どちらにせよ、今の彼女の頭の中には、愛する弟の姿しか思い浮かばない。

波江は火照った自らの体を冷やすように、冷たいシャワーを浴び続ける。

そうしていないと、自らの理性が崩壊してしまいそうだと感じたからだ。

——誠二……。

「ふふ」

——誠二……！

「ふふ、ふふふ、アハっ……アハハハ……アハハハハハハハハハ……」

心の中には誠二の名を想い浮かべているだけなのに、口からは狂的な哄笑が溢れ出す。

恋は3年、夫婦は3日で飽きるというが、波江の弟への愛は、飽きるなどという言葉とは永久に無縁のようだ。

無論、飽きないのには理由がある。

弟への愛は、波江にとっては呼吸に過ぎないのだから。

息をする事に飽きる人間など、殆ど存在しないだろう。

そして、呼吸と同じように——愛する事を止めれば、波江は生きられないのかもしれない。

波江はこれからも、弟を愛するという『呼吸』を続けながら生きていく。

明日も、明後日も——

誠二がこの世から消え去るその日まで。

あるいは、誠二が消えたその後も——

「誠二……」

彼女の呼吸は、歪んだ愛の吐息となって、池袋の夜を熱く熱く吹き抜ける。

日常B『はぐれ者コンチェルト』

6年前　池袋

——なんだ？

——俺は、何を見ている？

その男は——ただ、ケンカが強かった。

暴力団と呼ばれる類の組織に属する中でも、とびきりの暴力を備えた男。

世間でも強いと噂されていたし、自分でも己の力を信じていた。

実際、彼は腕っ節だけで世の中の裏側を渡り歩いてきた。

ケンカが強い。

ただそれだけの事で、自分は生き続ける事ができる。自分の人生に誇りを持てる。

インテリヤクザだの暴対法だの、そんな世間の風など気にしてはいない。

確かにそうした流れに乗る事も大事だが、結局舐められてしまっては終わりなのだ。

自分は自分の道を突き進むだけだ。


数年前——彼のライバルと噂されていた同業者の部下達が、パン屋の中で子供にやられたと聞き、憐れみと嘲笑と怒りが同時に湧き上がった。何かの冗談だろうと信じて疑わなかった。

後にその子供はバーテン服を纏い、池袋の中でちょっとした都市伝説になるのだが——男はそんな未来の事など知るよしもない。

そして、そんな同僚達にケンカの手本を見せてやるとばかりに、彼は暴れ続けた。

暴、暴、暴。

圧倒的な暴力のみで、男は目に映る全てを手に入れようとした。

そんな事は不可能だと理解していた。

しかし、止まらなかった。

止められなかった。

己の内側から湧き上がる衝動を。

暴力への陶酔を。

実戦の中で研鑽してきた技術を、鍛え上げた膂力を、試さずには居られなかった。

誇示せずには居られなかった。

例え、その先にあるのが破滅しかなかろうと——男は、欲望のままに力を振るい続けた。

そんなある日——

男は、化け物と出会う。

——なんだよ、これ。

ちょくちょく噂されていた、エンジン音の無いバイクに跨る首無しライダーでは、、、なく——

世間で噂になり始めていた、日本刀を持つ切り裂き魔。

——オレハ、ナニヲミテイル？

当時は、誰も知らなかった。

知る事ができなかった。

今も、その男以外で真実を知る者は一部だろう。

——これは、現実なのか……？

その切り裂き魔は——本当の意味で『化け物』だった。

体のあらゆる所から日本刀の刃を生やし、人間離れした動きをする、赤い瞳の化け物。

男は、その化け物の名前を知らなかった。


「畜生……」


『罪歌』と呼ばれる、人を愛する妖刀の名を。

「手前は一体なんなんだよ！　畜生ぉぉ！」

叫ぶ男の声には応えず——

赤目の人間に握られた『妖刀』の切っ先が、男の身体の一部を切り裂いた。


そして、時は流れ——

♂♀

現在　5月4日深夜　都内某所　某クラブ

扇情的な音と光が交錯するクラブ。

風営法の分類上は『喫茶店』となっている店だが、実情は『ナイトクラブ』に近い、一昔前のディスコのような様相を見せている。

毎晩のようにイベントが行われ、多種多様な『娯楽団体』が日替わりで店内の貸し出しスペースを仕切っていた。

若い男女がそうした喧噪の中に身を躍らせ、様々な悦楽に身を寄せる。

暗がりの中に響く重低音に刺激され、若者達は心や体を震わせた。

音楽に合わせて体を動かす者、そんな他者を眺めながら、酒の味と音楽の鼓動に身を委ねる者。興奮する心に従い、異性に声を掛ける者。

そうした若者達の多種多様な動きが、音楽に合わせて明滅する光に焼き付けられる。

だが——この店の場合、そのような外部からの刺激に影響される事もなく、独自の動きを見せる若者達も存在した。

音が半分以上掻き消される、クラブハウスの男性用トイレ内。

「ねぇ……持ってるんでしょ、早くしてよ」

「金、ちゃんと持ってきたからさぁ。ね？　ね？」

濃い化粧をした少女達が、僅かに焦燥の混じった声を響かせる。

男性用のトイレだというのに、その少女達はなんの躊躇いもなく奥に入り込んでいる。

彼女達と相対するのは、三人の屈強な男達だ。

三人の襟元からは独特な柄のタトゥーが覗いており、年齢こそ二十歳前後といった所だが、不気味な威圧感を持って年下の少女達を囲んでいる。

すると、その中ではまだ細身に入る男が、満面の笑みで少女達に顔を近づける。

「うん、うん。安心してねぇ。ちゃんと持ってきてるから」

男の言葉を聞いて、少女達の顔に安堵の色が浮かぶ。

だが、その顔からは血色が失せており、じっとりとした汗が皮膚全体に薄く滲んでいる。

「ただね、ちょっと、ほら、これ今人気だからさ、手に入れるのも大変になっちゃったわけよ。解るでしょ？　だから、まあ、お値段は据え置きなんだけどー。今回はこれって事で」

男はどこからかジップ付きの小さなビニールパックを取り出し、女達の前でひらひらと揺らして見せる。その中には白い錠剤がいくつか含まれていた。

そして、女の一人がその中身を見て、絶望混じりの表情を顔面に貼り付ける。

「そんな、それ、いつもの半分しか……」

「いや、本当はこれもね、お得意さんの方に回そうと思ったんだけどさ、ほら、君達辛そうじゃない？　やっぱ俺らもさ、可愛い女の子が辛そうにしてるのは見てらんないわけよ」

「……じゃあ、倍の、倍のお金っ、出せば、いつもの、量っ……」

息を切らせながら、微妙に噛み合っていない言葉を返す少女。

喉が渇いているのか、先刻からしきりにツバを呑み込む動作を見せている。

男の一人は、そんな女性達の頬を交互にさすりつつ言葉の続きを吐き出した。

「大丈夫大丈夫、バイト先探すのも手伝ってあげるからさ。女の子がそんな暗い顔しちゃダメだよ。ね？」

男は笑いながら、少女達の目の前でビニール袋を揺らし続ける。

まるで、馬の目の前にニンジンをぶら下げるような仕草で。

しかし——そのニンジンは、唐突な横風に攫われる事になる。

ジャア、と、トイレの個室から水を流す音が響き渡った。

「？」

男達は、顔をしかめながらその個室に目を向ける。

トイレの入口に一番近い個室。彼らが入ってきた時には、確かに誰もいない筈だった。

そして——少女達は知らない事だが、トイレへの入口には二人ほど見張りを置いており、客と仲間以外の人間は『清掃中だ』と言って追い返す手筈となっている。

「……」

その見張りのうちの一人がトイレに入ったのかと思ったが、それにしては今までなんの気配も感じられず、扉を閉める音にも気が付かなかった。

「ね、ねえ、早く……」

「黙ってろ」

男の一人が少女達を黙らせつつ、扉の方に警戒の目を向ける。

数秒の時間が、数倍の感覚に男達にのし掛かった。

彼らが警戒しているのは、警察の類の人間だ。

たまたま見張りがよそ見をしている間に迷い込んだ客の一人なら、適当にあしらうなり、殴って追い出すなりできるが——

そもそも、彼らは、個室内で用を足す音やトイレットペーパーが回る音も聞いていない。

つまり——個室内の住人は、ただ、水だけを流したのだ。

扉がゆっくりと開き始めるのを確認して、男達は、これからトイレを使用するわけでもないと確認する。

すると、個室に入ってわざわざ水だけを流したという事だが——その理由は一体なんなのだろうか？

ツバでも吐いて水を流しただけ、と楽観的には考えない。

そもそも、この場に部外者がいる事自体、彼らにとっては想定外の出来事なのだから。

彼らはこうした場所に屯する、とある『違法薬』の売人だが——そうした警戒心を持つ程度には、売人としての経験を積んでいるようだ。

「おい、誰だ、おい」

やや凄みを利かせた声を吐き出し、男は開きかけの扉に一歩足を近づける。

すると——扉が音もなく開き、中から一人の男が現れた。

だが、そこから現れたのは、彼らが警戒するような捜査員などではなかった。

さりとて、迷い込んだ一般人というわけでもなかったのだが。

「やあ」

それは、奇妙な男だった。

「若い人達は、その、なんだ。元気でいいねぇ」

派手な柄の入ったスーツを着こなす、長身の男。

年齢は三十代といった所だろうか。

若くもないが、中年とも言えないどちらつかずの外見だ。

細身の引き締まったタイプであり、少なくとも貧弱なイメージは感じさせず、顔に走る傷。

見るからに高級品と解る色眼鏡をかけており、手には派手な意匠の杖が握られ、一昔前の映画の撮影所から抜け出してきたような雰囲気を感じさせる。

杖を持ってはいるものの、別段足が悪いというわけでもないようだ。

男はヘラリと笑いながら、ゆっくりとトイレの個室から歩み出る。

妙な雰囲気の男の登場に、タトゥーを入れた若者達は顔を見合わせ、そのうちの二人が嘲るような声をあげる。

「んだぁ、オッサン」「僕たちお楽しみ中なんでぇ、邪魔しないでくれまちゅぅ?」

「……」

ただ、残る一人の男は、何か心に引っかかる事でもあるのか、男の顔を見て何かを考え込んでいるようだ。

そんな男達を余所に、少女達は必死で男達の持つビニール袋に手を伸ばしている。

男の一人がそれを背中で押さえつけ、残る二人は恐れる事無く男へと近寄った。

「このトイレは掃除中だからよ、とっとと出てけや」

「おやおや、最近の若い子は血気盛んだねぇ。おっと、こんな事言うと前歯ぁ引っこ抜かれちまうかな？　あ、今のネタの意味、君らぐらいの齢の子は解るかねぇ？」

「何言ってんだ、おっさん、コラ」

「ああ、いや、いいんだいいんだ。漫画でも読みなって話だよぉ。ガキならガキらしく、おいちゃんみたいに擦れてねえで、もっと純粋に努力友情勝利を信じたらどうよって話さね」

ヘラヘラと笑い続ける男は、首をコキリと鳴らして、杖を持たない方の手を差し出した。

「……？」

男達の動きが、一瞬止まる。

彼の指先に摘まれていたのは、先刻タトゥーの男が少女達に見せていたものと同じビニール袋だ。

ただし、中には何も入れられていなかったのだが。

表情を強ばらせる若者達に、色眼鏡の男はヘラリヘラリと言葉を紡ぎ続ける。

「いやあ、邪魔して悪かったね。入口の所にいた兄ちゃん達がさ、この袋の中に汚いもん入れてたからさ、ちょっとトイレに流してたね。ほら、汚物はきちんと消毒すっか、トイレで流さないとダメだろう？　詰まるようなもんは流しちゃいけねえけどさ、ありゃ多分水に溶けると思ってねぇ」

「……っ！　テメェ！」

見張りの若者達がどうなったのかを想像するよりも前に、屈強な若者の手が、色眼鏡の男の襟首を掴みあげる。

が――

「ほらほら、ダメだよ、お兄ちゃん達」

バミヤリ、と、何か湿った棒が折れるような音がした。

「目上の人の襟首を、そうやって掴んだりしない」

体をゆっくりと動かし、ヘラリと笑う男の目の前で――

襟首を掴んだ筈の若者の体が美しい軌道を描いて回っていた。

そして――襟を掴んだ指だけが、その回転についていけずに、歪な形に折れ曲がってしまっている。

だが、回転した男は悲鳴すら上げられない。

指を折られた若者は、回転した勢いそのままに、背中から地面に打ち付けられる。

「⁉っ――――――っっっっ！⁉？！」

肺どころではない。

体中の血管から、酸素と二酸化炭素が全て絞り出されたかのような錯覚。

痛みと痺れの区別がつかない感覚が、指先の方から這い上がってくる中、追い打ちをかけるような形で、喉仏を衝撃が貫いた。

男の握っていた杖が、倒れた若者の喉に突き込まれたのである。

痛みと苦しみで混濁したまま、意識を失う若者。

「おいちゃんが武術家じゃなくて良かったねぇ。折れたのは、指だけで済んだ」

僅か数秒の間に起こった出来事を前に、残りの若者達は二人揃って動きを止めた。

時間が止まったかのような空間の中で、少女達の声だけが響き続ける。

「ね、ねえ、何してるの！　早く、早く売ってよ！」

「私達はケンカには関係無いでしょ！」

だが、そんな少女達の叫びに対し、タトゥー男の一人が怒声を上げた。

「うるせぇ！」

「きゃあっ」

背後からビニール袋を取ろうとする少女を睨み付け、肘鉄を顔面に叩き込む。

そして、一瞬で視線を戻したのだが――

「いけないねぇ」

目の前に、謎の男の顔面が迫っていた。

男の色眼鏡のレンズ上に、驚愕に目を見開いた自分の顔が映り込む。

「おあぁっ⁉」

思わず殴りかかるが、何の技術もなく、腕の力だけで振るわれた拳は簡単に空を切らされる。

「女の子に、肘鉄なんかするもんじゃないよ。もっと優しく扱わなきゃさぁ」

次の瞬間――若者の耳が強く掴まれ、ゆっくりと下に引き落とされる。

「ちょっ……まっ……千切……」

全身に『耳を失う』という危機感が湧き上がり、考えるよりも先に、二人目の若者は耳に合わせて自然と体を下げた。

そのまま色眼鏡の男に足を払われ、トイレの床に勢いよくキスをする。

「ぶべっ……てめっ……ぶぎゅっ!?」

怒声と共に立ち上がろうとしたのだが、それは叶わぬ夢となった。

振り下ろされた足によって頭を踏みつけられ、鼻と前歯を勢いよく折り――そのまま本当に夢の世界へと意識を持って行かれたからだ。

そんな仲間達の様子を見て、残った一人の若者は顔面を恐怖に歪ませる。

――思い出した。

だが、その恐怖は――目の前の男の暴力に対して湧き上がった物ではない。

――杖を持った柄スーツの色眼鏡。

眼前の男の正体と同時に、その男が所属している『組織』を思い出したからだ。

——間違いねぇ。

——赤林……こいつ、粟楠会の赤林だ！

「ま、待って下さい！　すんません！　マジですんません！」

色眼鏡の男が顔を向けた時、既に最後の一人はトイレの床に土下座をしていた。

「おいおい。兄ちゃん。汚いだろ。トイレの床に手ぇつけちゃ」

足元で別の男の顔面を床に押しつけつつ、色眼鏡の男——赤林はヘラリと笑う。

「大体、男が言われもしないのに簡単に土下座するもんじゃあねえよぉ。それにさ。ほら、おいちゃん、そんな安い土下座要らないから、ね？」

軽い調子で酷い嘲りの言葉を吐く赤林に対し、土下座する若者は全身に冷や汗を交えつつ、青ざめた口から震える声を吐き出した。

「ま、ま、マジですいませんでした！　粟楠会の方とは、俺、その、知らなくて！　ケンカを売るようなマネしちまって……」

「いやいや、そこは謝らなくていいんじゃないかねぇ。ほら、どっちかっつーと、今ケンカを売ったのはおいちゃんだしねぇ」

ヘラリ、ヘラリと笑い続けていた赤林だが——

その笑みの色を僅かに薄めつつ、しゃがみ込みながら呟いた。

「謝るならさ、ほら、別のとこでしょ？　ね？」

「え……」

赤林は、若者達が落とした薬入りのビニール袋を拾い上げ、それを男の眼前に差し出した。

「このお店はさ、うちの会社と色々業務提携してるわけね。でさ、月並みな事言うけどさぁ。誰に断ってさ、こういうの配ってるのかなぁ？　ん？　おいちゃんに言って御覧」

「あ……いや、その……」

「ん？」

首を傾げる赤林。だが、視線は若者から外さない。

「それは……その。……っ！」

色眼鏡越しに薄く見える赤林の目を見て、青年は全身を再び強ばらせた。

「こ、ここ、ここが粟楠会の縄張りだなんて知らなかったんです！　あ、上納金は今後キッチリ払いますから……！」

「あっはっは」

男子トイレの中に、口元だけの笑いが響き渡る。

「いやぁ、参ったなぁ、本当に何にも知らないんだなぁ、兄ちゃん」

「え、え……？」

「法律を知らないのかい？　日本じゃねぇ、この手のお薬は犯罪なんだよ？　まあ、ほら、これがただのラムネ菓子って可能性もあるから、一応ここに来る前に、おいちゃんのお友達が調べてくれたんだけどさ」

大仰に首を振り、青年に顔を近づける赤林。

「特に、おいちゃんがケツモチしてるこの店じゃね、あれだよ、ローカルルールでも無しなんだわ。そういうのの売り買い」

「ちょっ……」

──なんだそりゃ。

──そんな話、聞いてねえぞ！

焦る若者を前に、赤林はチ、チ、チ、と人差し指を振ってみせた。

「まー、どっちにしろさ、見つかった途端に『上納金払います、すいません』で済むほど温い集まりだとは思ってないよねぇ？　おいちゃん達の事」

「う……うぁ……」

「じゃ、選ぼうか」

「え……、選……ぶ？」

若者は、自分の呼吸が自然と荒くなっている事に気が付いた。

目の前の男が何を言っているのか良く解らない。ただ、栗楠会だけではなく、ヘラリと笑う男そのものに対しても恐怖が湧き上がりつつある事に気が付いた。

懐にあるナイフの存在を思い出しつつ、若者は考える。

使うべきか、否か。

――いけるか？　――相手はヤクザ。　――無理だ。

――無理だ。――顔が知られたわけじゃない。――目の前の男さえ殺せば逃げられる。

――畜生、――ヤクザの追い込みなんて逃げ切れない。――だが、バレなきゃどうよ。

――ていうかそもそも、このオッサン自体に通じるのか？　――話が違うじゃねえかよ。

――向こうはドスとかチャカとか持ってるんだろ。　――ナイフ。

――無理だ。　――無理だ。

――無理　無理無理　無理無理無理無理無理無理無理……

様々な考えが脳内に過ぎるものの、前向きになれる要素が全く無い。

「いやあ。おいちゃんさ、ほら、偽善者って奴なんだよ。そりゃこういう職業だから、博打のしきりとか、ノミ屋の元締めとか、出所の怪しいカニの仲買とか、色々悪い事もやるけどさ。お薬はね、ほら、個人的にダメなんだよ。そう、もう、好き嫌い。だから、おいちゃんの事を好きなだけ偽善者って呼んでいいから」

色眼鏡を外しながら、若者に徐々に目を近づけていく赤林。

若者はその男の目を見て、何か違和感に気が付いた。

――片方の目、なんかおかしい……。

――……義眼……？

　もっとも、それに気付いた所で、今の彼にとって殆ど意味は無いのだが。

「昔、おいちゃんの好きだった女の人がさ、こういうお薬やってた旦那さんに酷い目にあってさぁ。凄く凄く嫌いなんだよねぇ。この手のお薬。おいちゃんが栗楠会にいるのはね、その辺の『好き嫌い』の融通が利くからなんだよ」

　ハハハ、と軽い笑いを続けていた赤林だったが——

　不意にその笑い声を止め、笑みの色をやや薄くして呟いた。

「……で、そうそう。何を選ぶかって話だけど……どっちがいい？」

「……栗楠会から警察の旦那方への『手土産』になるのとさ、このまま両腕をへし折られるのだったら、どっちがいい？」

「は？　……はい？」

　——っ！　っ！　っ！

　若者の呼吸が、荒々しさの極みを通り越し、数秒の間停止する。

　目の前の男は、自分を警察への取引材料にすると言っているのだ。

　断れば両腕がへし折られる。

　先刻の仲間のやられようを見れば、それが本気だという事も分かる。

「やめ……やめ……や……ちょ……。すいません！　すいません！」

　泣きそうな声でトイレの床に頭を擦らせる若者に、赤林は苦笑しながら首を振る。

「刺青入れる根性ある奴が、そんな情けない真似しちゃいけねぇよ。彫り師さんに失礼だろ」

「こ、これ、シールなんす！　俺ら、そんなんじゃないんす！　ふ、普段は真面目にやってるから、ちょ、さ、誘われて、小遣い稼ぎのつもりだったんす！　俺じゃないんです！　俺はただ、言われただけで！　だから勘弁して下さい！　勘弁して下さい！」

「あっはっは。それはそれでタトゥーシール作った人に失礼だ。……にしても、参ったねぇ」

赤林は笑いだし、立ち上がりながら指をパチリを鳴らす。

すると――トイレの入口から、スーツを着た若者達が現れる。

「へ？　へ？」

「黒幕がいるなら、それを詳しく聞く必要ができちゃったよ」

混乱する若者を前に、赤林はスーツ姿の男達に手を振った。

「じゃあ、攫っちゃって。後は風本君にまかせちゃおう」

「うす」「お疲れ様です、赤林さん」

頭を下げる黒スーツ達に、赤林は杖で床をカツカツと叩きながら、リズムに合わせて呟いた。

「やー、おいちゃん、拷問とか交渉は苦手だからさ」

余りにもあっさりと『攫う』という単語を吐き出した赤林を前に、土下座を続けていた若者は慌てて立ち上がる。

――逃げるしかねぇ。

事務所に攫われるとどうなるのか。

タトゥーシールで凄みを利かせていた程度の売人でも、その程度は予想がつく。

彼は懐からナイフを取り出し、それを振り回しながら勢い良く駆け出した。

「あっ、テメェ」「やめろコラ！」

赤林の部下らしき黒スーツ達が声を上げるが、逃げようとしている男が聞き入れる筈もない。

トイレの電球の光を跳ね返しながら乱舞する銀の刃を見て、トイレの隅に逃げていた少女達が悲鳴をあげる。

「どけコラぁ！　マジぶっ刺すぞッラァアァ！」

明らかに斬りつける動きで腕を振り回しているのだが、どうやらタトゥーシールの男は自分の言っている事もよく分からない程に混乱しているようだ。

赤林は、小さく息を吐く。

溜息ではない。

ほんの一瞬で、呼吸を整えたのだ。

トイレの中央に立ち塞がる赤林を前に、若者は迷う事なく駆け出した。

「ど」

――けぇ！　……あ？

ナイフを振り回しながら走り出した男の手に、トン、と軽い衝撃が走る。

男の視界の闇——死角となっている部分から、何か棒状の物が伸び、男のナイフを打ち上げたのだ。

——杖？

気付いた時には既に遅く、赤林の持つ杖の先端が、再び男の視界から消えた。

流れるような動きで赤林の体が床を滑り、杖の先端が先刻とは別の方向から現れる。

槍のように両手で杖を持っているが、左手より上には殆ど長さがなく、自分の体までは届かない、と、彼の本能が察知する。

無論、理性的に考えればそんな事はないのだが——その視角情報による錯覚が致命的となる。

右手で杖の反対側を押し込んだ。ただそれだけの事なのだが、若者の目から見れば唐突に杖の先端が伸びたようにしか見えない。

「うおぁバっ……」

驚きの悲鳴と衝撃による呻きは、ほぼ同時に発せられた。

杖の先端が男の喉に差し込まれ、皮膚の上から喉仏を押しつぶす。

痛みでも痺れでもない。ただ、何かが弾けるような衝撃が男の神経と脳を支配した。

瞬間的に若者の眼球が激しく震え、彼は白目を向いたまま、糸の切れた人形のようにトイレの床に崩れ落ちる。

「はい、連れてって連れてって」

ヘラリとした笑みを浮かべながら、スーツ姿の男達に指示を出す赤林。

気絶した若者達が連れて行かれるのを確認すると、赤林はトイレの奥に向き直る。

「で、お嬢ちゃん達なんだけどさ」

「ひっ……」「あ、あの……」

先刻までは薬への渇望に満ちていた女達だったが、目の前の光景や先刻のやり取りから、素人である彼女達も目の前の男がなんなのか気付いたのだろう。

欲望よりも恐怖の方が上回り、互いに身を寄せ合いながら小刻みに震えている。

「あーあー、そんな怖がんなくていいよ。いやね、おいちゃんね、一時間ぐらい前もさ、綺麗なロシア人のお姉ちゃんを悲しませてきたばっかりでさ、今、ちょいとナーバスなんだよ」

ヘラヘラと笑いながら、胸ポケットからハンカチを取り出し、少女の一人に差し出した。

「ていうか、鼻血出てるじゃない。さっきの肘鉄かな？　大丈夫かい。病院に行った方がいい」

「え、あ、あの……ありがとう御座います」

「病院ね、今すぐ行った方がいいよ。送っていこうか？　どのみち、ほら、君ら顔色悪いし」

「え、あ……い、いえ、大丈夫……です」

少女達は、男の意図が分からず、目を逸らしながら震え続ける。

「お、お願いです、助けて下さい、なんでも……なんでもっ……しますから……っ！」

震える少女の一人が、泣きそうな顔でそんな事を呟いた。

「あぁー。いや、参ったね。おいちゃん、そんなに怖い顔してるかな」

自嘲気味に笑いながら、赤林は杖でコツコツと床を打ち鳴らす。

「お嬢ちゃん達、運が良かったんだよ？　ここにいるのがおいちゃんじゃなくて別の人だったら、今頃はイケナイお店とか、イケナイ派遣会社とか、イケナイＤＶＤ撮影会にご案内って感じだったかもしれないよ」

笑いながら淡々と紡がれる言葉に、少女達は一層強く震えだした。

「ああ、いや、恩を着せようとしてるわけじゃないよ。おいちゃんはほら、偽善者って奴だからねぇ。お嬢ちゃん達には何もしないけど、お節介は焼かせて貰うよ」

そして赤林は――ある意味、少女達にとって最も嫌な『お節介』を焼くことにした。

「なに、お嬢ちゃん達を家まで送って、お父さんやお母さんにね、お嬢ちゃん達がどんなお薬やってたか伝えるだけさ」

「……っ！」

「あとは君らと家族の問題だからねぇ。どっちにしろ病院には入る事になると思うよ？」

「ああ、あとは……まあ、場合によっちゃ家族と俺らの話になるのかな？」

♂♀

数十分後　タクシー内

部下に指示を出した後、赤林は単独で店を後にした。

タクシーに乗り込み、走り出した車内で寛ぎながら独り言を呟いた。

「女の子を泣かすってのは、やっぱり後味悪いねぇ」

その独り言に反応し、運転手がお節介な言葉を口にする。

「おや、お客さん、彼女とケンカでも？」

「そんなとこ。まあ、殴ったりじゃないけど、ちょいと哀しい思いをさせちゃってねぇ」

自らも哀しげに首を振る赤林に、老齢の運転手は笑いながら言葉を紡ぐ。

「ダメですよ。女には優しくしなきゃ」

「全くだ」

それから更に数分経過した所で、赤林の携帯の着信音が鳴り響く。

人気アイドル、聖辺ルリの新曲だ。

「あ、例の彼女さんじゃないですか、お客さん」

「あっはっは、だったらいいんだけどねぇ」

運転手の言葉に笑い返しつつ、赤林は携帯の通話ボタンを押し込んだ。

「はい、もしもし、おいちゃんですよ」

『おう、俺だ。気持ち悪ぃ挨拶すんな』

その声は、赤林の同僚——粟楠会幹部、青崎のものだった。

つい数時間前まで、あるロシア人達とのトラブルに関して仕事をしていたので、赤林はその件かと考えた。

「なんだ、青崎さんかい。例のロシアのお客さんの件でなんかあったのか？」

『いや、そうじゃねえ。おめえ、お嬢の事、聞いたか？』

「ああ、平和島の兄ちゃんと黒バイクが助けてくれたって話だろ？　幹彌さんもあれだ、今頃は家出してたお嬢に説教しながら頬を緩ませてるんじゃないかねぇ？」

お嬢というのは、粟楠会の組長である粟楠道元の孫娘にして、若頭の粟楠幹彌の娘でもある少女の事だ。

粟楠茜という名の少女は、ここ数日間家出しており、件のロシア人に攫われたりなど様々なトラブルに巻き込まれていたのだが、夕方無事に保護されたとの連絡を受けている。

『いや……それがな。なんか様子がおかしいらしい』

「おかしい？」

『……いや、俺も人づてに聞いただけだからな。詳しくは解らねえし、俺にとっちゃどうでもいい事ではあるんだが、手前は小さい頃のお嬢と結構面識あったろ』

「まあねえ。ああ、明日、幹彌さんに聞いて見るよ。……にしても、あんたがそんな事を気にするなんて珍しい。幹彌さんの事は嫌いなんじゃなかったかい？」

　からかう赤林、携帯電話から低い声が響き渡る。

『滅多な事を言うんじゃねえよ赤林。俺は確かに幹彌さんを完全に認めたわけじゃねえが、茜お嬢は、組長の孫でもあるんだからな。下手になんかあれば戦争になんだ。気にもするさ』

「あんたは寧ろ、そうなって欲しいんだろ？　青崎さん」

『……滅多な事を言うなっつったろ。昼行灯が』

　嘲笑混じりの舌打ちと共に、青崎は一方的に電話を切った。

　やれやれと呟き、携帯電話をしまう赤林。

　それと同時に、運転手が口を開いた。

「お客さん、この辺で大丈夫ですか？」

「あ、はいよ。そこの角でＯＫだから」

「まいどあり」

　先刻までと違い、運転手の笑いがどことなくぎこちない。

どうやら、電話の赤林の言葉から、『堅気ではない』という事を察したようだ。

「ごめんねぇ、大した距離じゃなくてさ、これ、おつりはとっといて」

「あ、いや！　諭吉さんなんて受け取れないですよ！」

「いいからいいから」

半ば押しつけるように一万円札を渡し、ゆっくりとタクシーを後にする赤林。

首をコキリと鳴らし、都会のネオンでぼやけた星空に目を向ける。

「しかし、ここ最近、妙だねぇ」

黒バイク。

切り裂き魔の復活。

ダラーズという組織の隆盛。

聖辺ルリとのトラブル。

澱切陣内。

そして、今回のロシア人や茜に絡んだ一件。

「まあ、昔から、ヤバイ話なんてのはどこの街にもあったんだけどさあ」

独り言を呟きながら、寝床であるマンションへと歩きだす。

——それにしても、こう、なんつーのかなぁ。

——ここんところ、街の表と裏が混ざってるっつーか。

──『表側』の連中の方も、棲み分けができなくなってきてるのかねぇ。

考えても詮無き事と思いつつ、赤林はもう一度星空を見上げていた。

街の光と夜の闇が混ざり合い、ぼやけた空からは星明かりが失われている。

そんな曖昧な空を見ながら、赤林は独り言を呟いた。

「……嫌な夜空だねぇ」

「暗いのか明るいのか、ハッキリしろってんだ」

♂♀

6年前

暴力に身を染めた男は、今日も人を傷つける。

他人につけた傷痕を見る度、男は恍惚とした。

──あの傷痕は、俺だ。

──あいつらから流れた血が、はみ出た肉の赤色が、骨の折れる音が、俺という人間を造り上げているに違いない。

プライドや信念というよりも、単なる妄想か白昼夢の類の思い。

誰かを傷つけなければ自分が壊れる。

自ら造り上げた錯覚が、彼の本能を凶色に染め上げる。

他者への傷痕は、この街への爪痕。

暴力を振るう度に増える自分の名声に、若い男は酔いしれた。

飽きる事も過去を振り返る事もなく、それが自分の生きる目的であるとでもいうかのように。

そんな彼に転機が訪れたのは、とある仕事を引き受けた時だった。

とある店舗の主が借金をしていたので、その債務を男が所属していた組織が買い取ったのだ。

繁華街からやや離れているとはいえ、都心の土地には代わり無い。

借金のカタに土地を奪うという、分かり易い仕事。

だが、予定が狂い、店主はどこからか資金を調達し、借金を返してしまった。

それだけなら、運が無かったで済む話だったのだが——

何を血迷ったのか、店主は逆に男の組織に、金を寄越せと言ってきた。

違法な取り立てを訴えられたくなければと、こちらの事を脅してきたのだ。

店主の思考は既にまともではないのだろう。

話が通じる状態ではあるまいと、男に『仕事』が回ってきたのである。

適当に痛めつける。

単純で、簡単な仕事。

男には家族もいるらしいので、場合によってはそちらに手を出しても良いとの事だった。

もっとも、男の所属する組織の仕業とバレては元も子もないので、強盗の仕業に見せかけ、まずは死なない程度に痛めつけるという手を取る事にしたのだ。

新月の夜、男は目出し帽を被り、目的地である店舗へと向かう。

池袋の外れにある古物商。

店舗の名は――園原堂。

♂♀

現在　5月5日　朝　粟楠幹彌邸

粟楠会の若頭である、粟楠幹彌の邸宅。

池袋からはやや離れた所にあり、パッと見た感じでは通常の家と区別は付かず、何も知らない者なら堅気の人間が住んでいるとしか思えないだろう。

いや、捻くれた者なら『こんな綺麗な家に住んでる奴は、何か後ろ暗い事をして金を稼いでいるに違いない』と思うかもしれないが——つまりは、その程度には立派な邸宅だと言える。

そんな邸宅の中に足を踏み入れると——

トタトタという可愛らしい音を響かせながら、一人の少女が赤林に駆け寄ってきた。

「赤林のおじさん！」

「おお、お嬢。久しぶりだなぁ」

赤林が顔を出すのは、実に数年ぶりとなる。

昔はちょくちょく顔を出して遊んでやったりもしたのだが、粟楠茜が高学年になったという事もあり、親の職業を知らせずにおきたいという幹彌の意を汲んで、なるべく顔を出さないようにしていたのだ。

だが、どうやらその気遣いもムダに終わり、父親の職業について知ってしまったようだ。

それが原因で家出したと聞いていたが、無事に戻ってきて何よりだ。

「……で、おいちゃんに何か用があるんだって？」

「うん！」

赤林の問いかけに、茜は力強く頷いた。

昨日誘拐されたばかりとは思えないほどの気力に満ちており、それが逆に奇妙だった。

本来なら、若頭の幹彌に話だけ聞いて終わろうと思っていたのだが――

その幹彌の方から、組事務所に顔を出した赤林に声をかけてきたのだ。

「……娘が、お前に話があるそうだ。一緒に来てくれねえか」

「俺に？　なんでですかい？」

「こっちが聞きたいが、理由は言わねえんだ」

――そりゃ、確かに『様子がおかしい』なあ。

昨夜の青崎からの電話を思い出し、赤林は首を傾げながらも午後の予定を切り上げ、茜に会いに行く事にしたのだ。

そして、赤林の顔を見た茜は、目を輝かせながら彼の裾をクイ、と引っ張った。

「赤林のおじさんと二人で話があるの！　部屋に来てもらっていい？」

「こら、茜……」

「ああ、いいんすよ専務。私は構いませんやね」

叱ろうとする幹彌に手を振って、自分の部屋へと走っていった茜の後を追おうとする赤林。

その腕を、今度は幹彌がグイ、と掴む。

「言っておくが、変な事は吹き込むなよ」

「解(わか)ってますって」

「手も出すんじゃねえぞ」

「……幹彌(みきや)さん、自分の娘(むすめ)が何歳(さい)だと思ってるんですかい」

流石(さすが)に幹彌の言葉に呆(あき)れたようで、苦笑して首を振る赤林(あかばやし)。

「そ、そうか、すまん。てっきりそういう趣味があるかと……」

「……そりゃねえや、そりゃねえっすわ幹彌さん」

「いや……悪いな。ほら、何年か前も、お前、どこだかの女の子の世話してやったことがあるしよ、てっきりそういう趣味なのかと……。いや、どうかしていた。すまん。別にそのガキに手をだしてたってわけでもないのにな」

「ああ、別にいいっすよ。俺(おれ)は女房(にょうぼう)も情婦(イロ)もいませんからねぇ、前にはゲイだって噂(うわさ)も立てられましたよ。ハハ」

気にした素振りも見せず、幹彌をその場に残して茜(あかね)の部屋へと向かう赤林。

そして、彼が部屋に入ると同時に、茜は赤林に向かって真剣な顔で呟(つぶや)いた。

「あの、この相談は、お父さんにもお母さんにも内緒(ないしょ)にしてほしいの……ほしいんです」

「はいはい。解ってるよ」

少女を安心させるように、身を低くかがめながら笑う赤林。

そんな栗楠会の幹部に向かって——

「えっと、あの……その……」

茜は、とんでもない言葉を口にした。


「どうすれば……ころしあいに強くなれますか？」


無邪気な上に真剣な少女の目を見て、赤林は思う。

——参ったね、こりゃ。

珍しく冷や汗を掻きながら、困ったように息を吐く。

ヘラリとした笑顔だけは、崩す事の無いままに。


——こいつぁ……『様子がおかしい』どころの話じゃなさそうだねぇ。

30分後　車内

♂♀

「……なんの話だったんだ。茜の奴、最後に『またあとでね』とか言ってたが、今日また会う気なのかお前」

「何、世間話ですよ。ナイショ話でもありましたけどね」

粟楠会の事務所へと向かう高級車の後部座席。

若頭の幹彌の隣で、赤林がヘラヘラといつも通りの笑みを浮かべている。

「……赤林」

「いや、本当に大した話じゃありませんや。……なんか、昨日の事で思う事でもあったんじゃないですかい？　体を鍛えたいって言うんでね。まあ、知り合いの道場っつーかスポーツジムが、ジュニア部門だかで女子供にも護身術とか教えてるんで、午後にそこを紹介してやるって話ですよ」

「……ああ、そうだったのか……。だが、なんでそれをお前に聞くんだ？」

「はは、それがまた笑い話でねぇ」

呟きながら、赤林は携帯電話を取りだし、何かの作業を始めた。

「おい、何を……」

「お嬢が何で、俺らの仕事の事を知ったか御存知で？」

「……いや」

「こいつですよ」

携帯電話の画面を見せると、そこはインターネットのとあるＨＰがあった。

「……ああ、これか」

そこには、一つのネット辞典が表示されていた。

『文車妖妃』。

ウィキペディアなどと同じようなネット上のフリー百科辞典であり、一般人が情報を持ち寄って広大なデータベースを構築しているサイトである。

デマや虚言、誤解による情報も多いものの、それを修正する作業もまた、不特定多数の人々や、あるいは書かれている項目の関係者の手によって続けられている。

「ヤバイ部分は若い奴に大分修正させたんだがな」

社会の表や裏など関係無しに、粟楠会についての項目もあり、本部の『事業』や幹部の名前まで事細かく書かれている。

携帯の画面内に自分の名があるのを見て、幹彌は忌々しげに口を曲げる。

「……携帯からでも見られたのか。やりづらい世の中になったもんだ」

「なんにも考えずにネットにアクセスできる携帯なんて渡すからですよ。まあ、バレたもんはしかたないでしょう。そこに関しては、俺の出る幕じゃありませんや」

笑う赤林を睨みつけながら、携帯の画面を見ていくと――そこにはしっかりと、赤林の名も記されていた。

いくつかのプロフィールが簡素に印されていたが、そのうちの一つに『様々な逸話を持つ武闘派であり、先述の青崎と並んで【粟楠会の赤鬼と青鬼】と呼ばれている』と書かれていた。

「まったく、大袈裟に書いてくれるもんです。お嬢はそれを見て、小さい頃に何度か話した事のある俺に、まあ何つーんですかい、護身術みたいなもんを教えて貰いたかったってことです」

苦笑する赤林とは対照的に、幹彌は仏頂面を崩さぬままだった。

「……まあ、青崎を呼ばれるよりはいいが……。茜も、まず俺か女房に相談してくれりゃ良かったんだがな」

「はは、これ以上親に心配かけさせたくなかったんでしょう。いいお嬢さんじゃないですか」

「実の娘にそんな気遣いされたら余計心配になるだろうが。……で、そのスポーツジムだか道場だかは、信用できる所なんだろうな」

「ええ、堅気ですからね。ほら、あそこですよ。雑司ヶ谷霊園の傍にあるところ。えーと、ドイツの格闘家のトラウゴット・ガイセンデルファーって知ってますかい？　あのオッサンの道場の系列で、世界チェーンみたいな感じの――」

高級車の中で、そんな会話が続けられる。

この時――赤林は、完全に嘘をついていたわけではない。

だが、肝心な事を伝えなかったのも確かだ。

また、茜も全てを赤林に伝えたわけではないのだろう。それは赤林自身も解っている。

それを突っ込んで聞く事もしなかったが――茜という少女が、誰かに壊されかけたのは確かなようだ。

赤林は心中で溜息を吐きながら、今の茜に必要なのは、家族を始めとしたより多くの人間、しかも自分を特別扱いしない者達との触れ合いだろうと考え、知り合いの道場を薦める事にしたのだ。

――まあ、あそこなら女の子とかもたくさんいるしね。

とりあえずこの一件に関しては、午後に更に詳しく茜から話を聞くか、あるいはあまり突っ込まずに様子を見るべきかと考えていた赤林だが――

そんな彼の横で、隣にいた幹彌が顔から表情を消し、全く別の懸案を切り出した。

「……昨日の夜中、お前、売人のガキどもをシメたろう」

「ああ、その件なら、風本に任せやしたよ」

「……それなんだが、妙なことになってな」

「はい？」

娘の事には一喜一憂していた幹彌だが、その時の様子が嘘のように淡々とした調子で言葉を紡いでいく。

「その連中、どこかの組のバックがいるんだと思ってたが……なんの事ぁねえ。ただの大学生のサークル活動だとよ」

「サークル？」

「連中、来良大学の学生でな……表向きはただの学生らしいが、お前が砂にした連中、全員首にシール貼り付けてたろ。同じ柄のタトゥーのよ」

「ええ、してましたねぇ」

昨夜の顛末と共に、赤林はすでにどうでもよくなっていた若者達の姿を思い出す。

彼らの首筋からは派手なタトゥーが覗いていたが、彼ら自身の話では、どうやらそれは単なるシールだったらしい。

「来良大学っつったら、結構偏差値高いのによ、どこにでもバカはいるって事だ」

「なるほどねぇ。ありゃ、自分達で栽培するなり作ったりしたもんってわけだ。クリエイティブだねぇ最近の若造は」

苦笑しながら首を振る赤林。

その目が笑ってはいないという事に気付きつつ、幹彌は赤林の持つ携帯を見ながら呟いた。

「小ずるさだけはあるがな。奴ら、売人より上は携帯だけで繋がってやがる。定期的に番号が変わるらしいから、多分飛ばし携帯だな」

飛ばし携帯とは、匿名電話に使用する他人名義の携帯電話の事だ。僅かな報酬や、債権などのカタによって多くの人間に携帯を契約させ、その電話だけを回収するという手口だ。

料金の支払いがなかったり、警察の手が伸びれば即使えなくなる代物なのだが、その度に新しい携帯に取り替えては振り込め詐欺などに利用する輩が多く存在している。

もっとも、幹彌達もそうした『飛ばし携帯』の世話になる事は多々あるのだが。

「風本が飛ばし携帯の業者に番号を照会するとか言ってたが、うちの関わってる業者から奴らの中心部が見つかるかどうかは微妙なとこだ。リーダーも大学生ってのは確からしいが……」

幹彌はそこで、無表情のまま舌打ちをする。

「今は嫌な時代だぜ、普通のガキにしか見えない奴が、ネットだのなんだのを使って裏で簡単にこっち側の仕事に手ぇ染めてたりするんだからよ。インテリヤクザなんて言葉ができて久しいが、連中、本当に見た目はただの一般人だからな」

「確かに、昨日の連中もタトゥーシールがなけりゃ、ちょっとガタイの良い奴でしかありませんでしたねぇ」

「……そういやお前、『ダラーズ』っつーガキ共を知ってるか？」

「なんです、藪から棒に」

自分もこっそり『メンバー登録』してある組織の名に、赤林は否定も肯定もせずに問い返す。

「いや……昨日風本に『聴取』された奴がぺらぺらと色々しゃべくったらしいんだが……その中で、電話でしか話した事のない上層部の連中から聞いた事らしいんだが……」

「そのダラーズ、とかいうのに感化されて作ったそうだ。ネット上のイケナイ薬屋さんをな」

♂♀

同時刻　粟楠会本部

粟楠会は、俗に『暴力団』と呼ばれる類の組織である。

大本である目出井組系の中でも、中堅の部類に入る一大組織だ。

正確な構成員の数などは一般には把握されていないが、その名前は池袋の中でも確かな『力』として認識されている。

そんな組織の本部であるオフィスビルの奥。閑散としているが重厚な雰囲気を持つ空間の中に、重々しい声が響き渡った。

「ああ、その件なら、問題はありません」

声の質からして、相当老齢な男と思われる。

だが、声には活力がみなぎっており、それでいて険しくそびえ立つ岩山のような威圧感も兼ね備えている。

「うちとしても、そちらとの関係を悪くする気はありませんよ。ただし、我々の手で始末をつけるというわけにはいきませんな。明日機組との手打ちが近いこの時期に、身内殺しなんて下手な噂が立つのもまずいんでね。奴がヘマをやらかしたならともかく、今回はそちらの一方的な希望ですからな」

どうやら電話をしているようで、男の声に対する返答は部屋の中に響かない。

「ですが……そちらが奴にどう落とし前をつけようと、粟楠会は干渉しない事をお約束しましよう。『事故』で死んだり、『失踪』した程度なら、明日機組への弱みにはなりませんしな」

丁寧な口調で語る声の主は、相手にへりくだる事も、相手を見下す事もしていない。

ただ、私情を完全に隠した声で、事務的に意見を述べ続ける。

「……ただし、そちらも組への手出しは一切無用。『奴』以外の誰か、組の人間やその縁者を巻き込んだ時は――それなりの覚悟はして頂こう」

その後、二言三言何かを話した後、声の主は電話を終えたらしく――深い皺の刻まれた手が、空気を舐めるような動きで受話器を置いた。

電話中は呼吸一つ乱さず、泰然自若という言葉が似合う印象だったが——

「この……電話ってのはあれだ、何十年経っても慣れんもんだな」

溜息に近い息を吐きながら、声の雰囲気をがらりと変える。

部屋には提灯や神棚が飾られており、証券会社のオフィスのように偽装された本部の中で、如何にも『任侠者の親分の部屋』といった雰囲気が作られており、他の部屋とは一線を画していた。

そして、そんな『組長の部屋』の奥で——声の主は、牛革張りのチェアにどさりと背中を沈ませた。

ギシリ、という音が響き渡り、部屋の空気が幾分圧力から解放される。

飾り気こそ無いものの、木目だけで十分に美しい書斎机に座る男は、歯を見せて笑いながら呟き始めた。

「俺は、歯は殆ど差し歯でなぁ。腰の骨にも何箇所からボルトが入ったままでよ。これってあれだ、ほれ、さいぼーぐだか、ろぼこっぷだかとかいう奴じゃねえのか？　それなのに機械に弱いってのは、お天道さんはどっか間違ってると思うんだがな」

そして、もはや音を出さない電話機をさすりながら呟いた。

「青崎はどうでぇ。好きか？　電話」

その声は、部屋の入口近くに立つ大男へと向けられたものだった。

部屋の中にいるは、声をあげた老人と、その大男の二人だけである。

青崎と呼ばれた体格の良い男は、頭を下げると共に低い声を吐き出した。

「組長が言うなら、すぐにでも自分の携帯をぶち壊そうじゃないですか」

冗談のように聞こえるが、青崎の声は真剣そのものだ。

そして、組長と呼ばれた老齢の男——粟楠道元は、笑いを溢して首を振る。

「おいおい、俺の事は会長って言わねえと、幹彌や四木が五月蝿いぞ」

年齢は、外見だけなら60代前半といった所だろうか。

正確な年齢は解らないが、白く染まった髭を大きく蓄えている事から、いかにも老人といった雰囲気が植え付けられる。

だが、純白の髭は綺麗に整えられており、童話に出てくる仙人というより、サンタクロースのような印象の顔立ちだった。

そんな老人に対し、粟楠会有数の武闘派幹部が畏まった調子で言葉を返す。

「誰に聞かれてるわけでもありませんや。それより組長、今の電話は、やはり例の件ですか」

「ん？　ああ、そうだ。お前の話ってのも、その件か？」

「ええ、あの残党どもが、まだ奴を狙ってたとは驚きでしてね。そして、あの連中が組長に直接電話をかけてきやがったってのも驚きです。一言おっしゃって下されば、俺が一日で潰してやりますよ」

粗野な言葉使いだが、相手への敬意は十分に感じられる。

普段は誰に対しても居丈高な青崎であり、若頭の幹彌すら軽視しているのだが、目の前の組長に対しては純粋な尊敬の念があるようだ。

「はは、お前ならできるだろうよ。粟楠の青鬼が本気を出せばな」

「その言い方は止めて下さい。赤鬼とか呼ばれてる奴と仲良しみてぇに思われます」

「いいじゃねえか。お前だって、赤林の実力は認めてるんだろうが」

「喧嘩の腕が立つのは認めますが、んなもん、組織力の前にはどうしようもない。奴も子飼いの暴走族を抱えちゃいるが、そもそも、奴は組織向きの人間じゃありませんよ」

青崎はそこで一瞬だけ言葉を止め、天井を仰ぎつつ目を細める。


「だから、今回みたいな事になるんでしょう」

青崎の呟きに対し、粟楠道元はカカ、と笑って言葉を返す。

「まあな。あの残党共からすりゃ、赤林さえ殺せればいいんだろうからな」

「奴ら、今はどこの組の預かりになってるんですか」

「おめえ、それを知らないで『一日で潰す』なんて言ってたのかい。……まあ、お前らしいっちゃらしいけどよ」

道元は椅子の背もたれから身を起こし、前のめりになる形で両肘を机上に乗せた。

そして、右手の人差し指でコツコツと机を叩きながら、残忍とも取れる笑みを浮かべる。

「こないだ出所してきた連中が集まって、自分達の組を新しく立ち上げたらしい。もっとも、表向きは小さな不動産業者って事になってるがな」

「懲りない連中だ」

「まあ、それも仕方あるめえ。奴らにとっちゃ、まだ疑ってるんだろうからな」

道元は、どこか楽しげに口元を歪ませ、白い顎髭を撫でながら言葉を続ける。

「手前の所の組長を殺したのが、赤林じゃねえかってな」

♂♀

赤林には、一つの噂があった。

彼は粟楠会の幹部の一人ではあるものの、最初から粟楠の直参だったわけではない。

かつて池袋で粟楠会と勢力争いをしていた一つの組織。赤林はそこの鉄砲玉だった。

実質的には鉄砲玉とは名ばかりで、実際は何でもこなす『汎用武器』のような存在。

色々と組織内でも重宝されていたという話だが——

現在、その組は存在しない。

組長が、何者かによって刺殺されたからだ。

同時に、組が大規模な覚醒剤の密輸を執り行っていた事が判明し、組織の大半の者が検挙され、組織は事実上解散となった。

ただ、その組織の中でも有名だった赤林は、その逮捕劇の中には含まれていない。

更に言うなら、組長が刺殺された瞬間、横にいた護衛は赤林である。

そうした事実が、逮捕された者達の間に一つの疑念を浮かばせる。

組長を殺したのは赤林で、麻薬の件を密告したのもまた、彼なのではないか。

疑念は膨らむが、確証は何も無い。

そして、赤林は現在——敵対組織だった筈の粟楠会の幹部なのだ。

例え組長殺しの犯人が彼であろうと無かろうと、『裏切り者』として恨むには十分だ。

しかし、粟楠会は正式に目出井組の傘下となり、もはや組が崩壊した彼らに太刀打ちできる相手ではなくなっていた。

今は『粟楠の赤鬼』と呼ばれているものの、その渾名の理由の大半は、かつての功績を称えたものであり——粟楠に入ってからは、重要な戦力ではあるが、武闘派の中では比較的穏便というイメージで捉える者も多い。

　もっとも、その飄々とした態度が本性を隠す仮面と捉え、警戒を続ける四木のような者も数多く存在するのだが。

♂♀

「ま、薬を扱ってた奴の大半はまだ出所してねぇけどよ、最近なんとか出てきた奴らからすりゃ、赤林がうちの幹部になってるって聞いて、その疑いは確信でしかないんだろうよ」

「実際に身内殺しをやってたとすりゃ、普通はこの世界じゃ生きていけねぇ。そんな噂が立つだけでも煙たがられるもんですが……。組長はそんなあいつを迎え入れた」

「なに、俺もこの世界じゃ外道な方だからよ。煙たいぐらいで金を拾うのを諦める余裕なんざなかっただけだ。あの野郎、最近の若い連中には妙に顔が広いからな」

　青崎の言葉に対してカラコロと笑う老爺。

　そんな道元に対し、青崎は自分の疑念を口にする。

「ですが、組長はその金のなる木を、今の電話で斬り捨てた」

「まあな」

『赤林への落とし前をつけさせてほしい』

それが、暫く前から持ちかけられていた『新興組織』からの提案だった。

刑務所から出て来たかつての仇敵達の提案。

普通ならば一蹴する所だが、敵は最初から命を捨てているかのような物言いだった。

『あんた達と今更コトを構えるつもりは無い。ただ、組長の仇を討たないうちは死ぬにも死にきれない。あいつをかばい立てするなら、こちらにも玉砕する用意はある』

そして、道元は結果として――先刻のような答えを返したのだ。

『事故か失踪という、組に傷がつかぬ形ならば、一切関知しない』と。

だが、それは俗に言う義理や人情からくる行動ではない。

組長の復讐を願う彼らの意を汲んだわけではないのだ。

道元にとっては、ここで戦争を起こして目出井組の名に泥を塗ったり、杯を交わす予定の明日機組に隙を見せるわけにはいかないのだ。

しかも、出所したばかりの面々など、警察にマークされているのは当然と見るべきだ。

それすらも承知の上で復讐すると言っている相手と事を構えるのは、青崎の言うように『一日で潰す』にしろ、相当危ない橋を渡る事になる。

彼らの組織は、甘くはない。

やはり、彼らもまた——街の闇を造り上げる存在である事に変わりはないのだ。

「俺はね、部下は裏切る事はできないが……見捨てる事はできるんだよ」

♂♀

6年前　都内某所　園原堂付近

その男にとって、普段と何も変わり無い夜となる筈だった。

強盗のふりをして店主を痛めつける。

ただそれだけの、簡単な仕事。

痛む心など、とうに捨てた。

罪悪感について考える事すらしなかった。

ただの古道具屋の店主など警戒するにも値しない。

彼の傲慢さは、彼の暴力の象徴でもあった。

金にも女にも特に興味はない。

無論、清貧を尊きとするわけでも、男色家というわけでもない。

ただ、純粋に暴力を振るう事が好きだったのだ。

『場合によっては女房子供に手を出しても良い』

そう言われてはいたが、そんなコトに興味はなく、店主を痛めつければ済む話だと考えた。

女子供に暴力を振るった事は無い——と言えば聞こえは良いが、実際の所、それは優しさや男気から来るものではなく、彼は弱い者を壊しても何の自慢にもならないと、女子供への暴力に興味が持てないだけの話だった。

彼がどのように闘争の為の技術を学んだのか、その始まりは解らない。

ただ、彼が実戦に次ぐ実戦で己を鍛え続けたのは確かな事だ。

そもそも、彼は人間自体に興味が無かった。

暴力を振るう対象として強く意識してはいるが、せいぜいがその程度の認識だ。

今日もまた、ただ自分の力を示す為に、相手につけた傷痕を自分自身の存在の証明とするために、彼は拳を握りしめた。

だが——園原堂の建物が見えてきた辺りで、男は路上に人影がある事に気が付いた。

新月の闇の中、その人影を照らす街灯は小刻みに明滅を繰り返している。

そんな状態なので、相手が何者なのか、男には良く解らなかった。

「なんだ？　お前？」

無視して通り過ぎる事は、できなかった。

何故ならその人影は、手に長く伸びる銀色の棒状——一振りの日本刀を握り込んでいたのだから。

「……俺を消しに来た鉄砲玉か？　日本刀持っただけで俺の命を取れると思ってるなら、そいつぁ高くつくぜ？」

首をゴキリと鳴らし、男は人影に近づいていく。

普段なら会話もせずに何かを投げつけて先手を打つ所だが、男は今日に限ってそれをしなかった。人影の放つ何か妙な不気味さが、男の心を僅かに冷やし込んだのだ。

そして——日本刀の間合いまであと十歩かという位置まで迫った瞬間——

人影の持つ日本刀が、真夏の陽炎のように体を揺らめかせる。

夜の闇の中での揺らめきは男の距離感を狂わせ、まるで電灯が一回明滅する間に、五歩分ほど間合いを詰めてきたように感じられた。

いや——それ以外にも、実際に間合いを詰められる、尋常ならざる要素があった。

——っ⁉

——刃が……伸び……

日本刀程度の長さだったはずのその刃は、この一瞬の間にその形状を変質させ——倍近くの長さにまでその刀身を伸張させたのだ。

突きや居合いの技術による間合いの錯覚。

その類のものではないという事は、男のそれまでの経験から理解できた。

理解できないのは、本当に刀が伸びたというどうしようもない事実である。

次の瞬間、再び街灯が明滅し、人影の姿をハッキリと目に捉える事ができた。

——女⁉

その人影の正体は、家着を纏った一人の女であり——その両目が、パトカーの赤色灯を思わせる色で爛々と輝いていた。

──もしかして、こいつが噂の……！

まるで赤い月が二つ眼下に収まっているかのように。

爛々と、煌々と。

──切り裂き………

もう一度光が明滅した次の瞬間、男の思考は更なる混乱に包まれる。

女の手だけではなく──女の肩口からも日本刀の様な刃が伸び、その切っ先を男の身体に染みこませようと迫り来るではないか。

──っ！

男は咄嗟に横に跳ね転がり、迫り来る二つの刃から間一髪の所で逃げおおせる。

だが、咄嗟に反撃しようと起き上がり様に視線を戻した時、男は全身を強ばらせた。

──なんだ？

刃。

──俺は、何を見ている？

女の肩口からだけではない。

──なんだよ、これ。

女の手足や背中に腹部、長い髪の先端にすら、刃の色が見え隠れしている。

榎茸のように無尽蔵に生えているわけではなく、肘の先端などの機能的な位置に、まるで鎧の一部であるかのように刃が出現しているのだ。

――オレハ、ナニヲミテイル？

全身に刃を仕込んだ機械人形。

赤い眼が爛々と輝いているのは、きっとあれが赤い電球で作った目玉だからに違いない。

そんな荒唐無稽な想像ができる程の『異常』が、男の目の前に存在している。

――これは、現実なのか……？

バケモノ。

その切り裂き魔は――本当の意味で『化け物』だった。

体のあらゆる所から日本刀の刃を生やし、人間離れした動きをする、赤い瞳の化け物。

男は、その化け物の名前を知らなかった。

「畜生……」

『罪歌』と呼ばれる、人を愛する妖刀の名を。

「手前は一体なんなんだよ！　畜生ぉぉ！」

叫ぶ男の声には応えず――

赤目の人間に握られた『妖刀』は、その『持ち手』の体を跳躍させ、強ばる男へと一直線に襲いかかる。

まるで、恋人と久方ぶりに再会した漫画のヒロインが、全力の愛を持って愛しい男の胸へと飛びつくかのように。

ただし、その『刃』という唇が触れたのは、男の口でも頬でもない。

異常事態に対する硬直から逃れ、なんとか体を動かそうとする男。

だが、刀の切っ先は更に一段階伸びあがり――

何の躊躇いもなく、男の右目を刺し割いた。

♂♀

現在　都内某所　空き屋前

その店は、どこか異質な空気に包まれていた。

駅などの繁華街からは大分離れた場所。通常の住宅に紛れてポツリと存在する、店舗と住居を兼ねた構造の古びた空き屋だ。

園原堂と書かれた看板を掲げてはいるものの、既に文字は掠れてしまい、殆ど読めない状態となっている。

古道具屋としての外観はそのまま残されており、外側からも見えるショーケースの中には埃だけが溜まっている状態だった。

人の住んでいる気配は微塵も感じられず、空き屋であることは一目瞭然なのだが、空のショーケースや妙な紋様の入った柱など、不思議を通り越して不気味とも言える存在感を放っている建物だ。

そんな建物の前で、一人の男が雰囲気に気圧される事無く、何処かしみじみとした調子で呟いた。

「5年も経ってるのに、まーだ売れねえかい。やっぱりねぇ」

茜を知り合いのジムに送り届けた後、赤林は一人でこの廃店舗の前にまでやってきた。

何をするというわけでもなく、色眼鏡越しにぼんやりとその店舗を眺めていたのだが——

「……赤林(あかばやし)さん……ですか？」

不意に、消え入るような声が背後から掛けられた。

「ん……？」

振り返ると、そこには一人の少女が立っていた。

眼鏡(めがね)をかけた大人(おとな)しそうな少女で、来良(らいら)学園の制服を身に纏(まと)っている。

おそるおそるこちらの様子を窺(うかが)っていると思(おぼ)しき少女の姿を見て、赤林は思わず顔をほころばせた。

「……おぉ！　杏里(あんり)ちゃんかい！　大きくなったねぇ。2年ぶりぐらいか？」

「ええ、お久しぶりです……どうしてここに？」

杏里と呼ばれた少女はペコリと頭を下げるが、赤林を恐れている様子は見られない。

「いやぁ、たまたま通りかかってね。杏里ちゃんこそ、今日は休みじゃないのかい？」

「今日は委員会で、私が担当の仕事があって……その活動の帰りなんです」

「なるほどねぇ。せっかくの連休なのに、学生さんも大変だ」

飄々(ひょうひょう)とした笑いを浮かべる赤林に、杏里は再び頭を下げた。

「あの……本当にあの頃はお世話になりました」

「いやぁ、会う度にそれ言うけど、本当に気にしなくていいってよ。女将さん……杏里ちゃんのお母さんにゃ、色々と世話になったからねぇ」

「でも……あの頃、赤林さんがアパートとか色々紹介してくれなかったら、私、どうなってたか……。父も母もいなくなって、家も手放す事になって……」

杏里は純粋な感謝の意と共に、珍しく柔らかい微笑みを浮かべて見せた。

園原杏里は、かつて、両親をとある事件で亡くしている。

その際、親戚をたらい回しにされたり、色々な事があったのだが——最終的には園原堂の商品の数々を売却する事で、杏里が成人するぐらいまでの生活費にはなりそうな遺産を相続する事ができた。

その時の財産処分で世話になったのが、両親の葬儀で挨拶をしてきた赤林という男だった。

また、親戚に気遣った杏里が一人暮らしを始める際、アパートの世話をしてくれたのも赤林だ。両親に世話になったという事で、無償で世話を焼いてくれる赤林に対して、杏里は感謝してもし尽くせない程の強い恩義を感じているようだ。

何度も頭を下げようとする杏里に対し、赤林は頭を掻きながら話題を変える。

「ああ、それ、来良の制服かい？　そうか、杏里ちゃんも、もう高校生なんだねぇ。あれ？

今、二年だっけか？」

「ええ、おかげさまで……」

再び頭を下げる杏里を見て、赤林はヤレヤレと苦笑しながら頬を掻いた。

そして、ふと思い出す。

昼間、車の中で幹彌が言っていた事を思い出す。

──「ともあれ、ゲーム感覚なのかなんなのか知らねえが、そんなサークルでも、上層部の奴らはかなり危ねえらしい。相手が俺らみたいな本職でも、自分達は捕まらねえと思ってるのさ。……過去に他の組と揉めて、組の奴が襲撃された事もあるらしい」

──「お前も気を付けろ。茜ともあまり一緒にいるな。夜はその道場に別の連中を迎えにやらすとしよう」

──「どのみち、昨日の今日だからな、茜にはこっそり護衛はつけるが、お前にまでつける余裕は無い。自分でなんとかするんだな」

そんな幹彌の言葉が頭を過ぎり、赤林はちょっとした事が気になり、杏里に尋ねてみる。

「あのさ、杏里ちゃんに、学校の流行とかで一個聞きたいんだけどさ」

「は、はい……あの……私もそんなに流行に詳しいわけじゃないですけど……」

「いや、解る範囲でいいんだけどねぇ。その……」

まず知ってはいないだろうと思いつつも、何気なしにその『単語』を口にする。

「杏里ちゃんの学校でさ、ダラーズとかって名前、聞いた事ある？」

「！」

少女の呼吸が、僅かに乱れる。

それに気付いた赤林は、やや真剣な調子で問いかける。

「……何か、知ってるのかい？」

「い、いえ……。ただ、友達がそんな話をしてるのを聞いた事があるだけ……です。詳しくは、解りません」

「……」

嘘をついているのは、一目瞭然だ。

それを突っ込むつもりもないが、どうでも良いというわけでもないのだろう。

赤林は「そうかい」とだけ呟き、笑いながら杏里の肩を叩く。

「なんだか危ない連中らしいからさ、近づいちゃダメだよ。何かあったら、すぐにおいちゃんに相談してくれ」

「そんな……これ以上ご迷惑を……」

「いいっていいって、ほら、おいちゃんの顔が広いのは知ってるだろ？　だからまあ、どんな事でもいい。困った事があったら、前に教えた電話番号に連絡してくれ。……ただ、まあほら、顔が広い分、おいちゃんの事を恨んだりしてる奴もいるからさ、特に相談がなけりゃ、街でおいちゃんを見かけても無視してくれて構わないよ」

「えっ……」

赤林の『職業』を知らないのか、少女は相手が妙なことを言い出したと思ったのだろう。

不思議そうに見つめてくる少女に、赤林はヘラリと笑って何かを言おうとしたのだが——

その言葉は、第三者の声によって赤林の口内に霧散する。

「園原じゃないか」

若い男の声に振り返ると、そこには一人の青年が立っていた。

「あ……矢霧君」

それは、杏里の親友である張間美香の恋人——矢霧誠二だった。

杏里本人だと確認した誠二は、周りをきょろきょろと見ながら

「え、あれ……美香の奴との用事、もう終わったのか？」

「え……？」

混乱する杏里に、不思議そうな顔をする青年。

知り合いらしい二人の様子を見た赤林は、軽く手を振って杏里に背を向けた。

「そいじゃ、おいちゃんはこれで失礼するよ。まあ、元気でやってくれよ、な？」

「あ……は、はい！　ありがとうございました！」

最後までペコペコとする杏里に見送られ、赤林は『園原堂』の廃店舗前から姿を消した。

「……誰？　今の」

誠二の問いに、杏里は静かに笑いながら言葉を返す。

「赤林さんっていう人で、私の母の知人で……昔、色々とお世話になったんです」

「何やってる人？」

「ええと……カニの配達とか、喫茶店の経営とかをしてるって聞きましたけど……色々とやってるみたいです」

「ふーん……妙な雰囲気の人だったね……」

赤林の事を気にしていた誠二だったが、そこでハッと気付き、杏里に問いかける。

「そうそう、それより、さっき美香に電話したのって、もしかして園原じゃないの？」

「えっ……？」

数秒後、矢霧誠二は一つの事実を知り、とある製薬会社の倉庫へと赴く事になるのだが——

それはまた、別の話。

♂♀

6年前

右目の周囲に、衝撃が走った。
それは男にも理解できる。
だが、その後に何が起こったのかが解らない。

――声。

『アイシテル』

ただ、ただ、単純にして圧倒的な『声』が、男の脳髄を支配する。

声の出所は、衝撃の走った目の辺りだ。

──ああ、そうか。

男は、同時に理解する。

──俺は、右目を、あの刀に……。

まるで、切られた右目自身が悲鳴をあげているようだ。

『声』は右目から全身を駆け巡り、男の神経を、骨を、筋肉を、脳味噌をズタズタに引き裂いていく。

自分自身が失われるかのような、圧倒的な言葉の群。

形を持った言葉が、鉛さながらの質量を持って体の中で暴れ回る感覚。

自らの精神と肉体が内側から喰われるのを感じ取り、男は生まれて初めて恐怖した。

この『愛』を語る声は、俺を消し去ってしまうかもしれない。

別の何かに造り替えられてしまうかもしれない。

そんな異質の恐怖が、暴力だけで生き延びてきた男を支配しようとしていた。

だが――

恐怖する一方で、男の中に別の衝動が湧き上がる。

それもまた、男が初めて経験する、圧倒的な衝動だった。

――おい。

――なんだよ、こんな時に。

――何考えてんだよ、俺。

しかし、そんな男のとある『衝動』を余所に、声は徐々にその圧力を増していく。

やがて声は意味を持ち、男の心に『愛の言葉』を

を

を

愛

愛

からね

き、好き、好

ら愛してる】【とて

人が好きよ】【野暮な事を聞かな

『ちょっと黙ってろ』

――

【誰が好きかなんて悲しい事を言わないで！　全部よ

う、違うわ！　私は人間がみんなみんなみんなみんな

が好きかって？　野暮なこと聞かないで！　全部よ

血汁が好き】【硬骨が好き】【愛だよ】【柔らかくて、それを

から許してあげる】【だから皆も私を許していいのよ？】【許さな

こまでして】【あ】【絶頂に達した時の斬り裂いた肉の断面がなにより

柔らかいのに固くて簡単に裂けちゃう筋張った筋肉が好き！】【それからね

こまでもしなやかなのに脆くて鋭くてザラついた硬骨が好きなの！】【愛は愛は

震えるように柔らかくてサラサラとグチャグチャと纏わり付いて纏わりついて纏わり

触れ合った時にとってもとっても響く声で愛を囀り叫ぶんでしょ？　うらやましいわね私

愛を語る言葉なんて無いんだものだから私はあなたに私を愛して欲しいのだからでもねだから

足したいと思っててもだからあのね好きよだけどあなた一人だけを羨ましいわね死ぬ事だって

愛の形だし性欲だって立派な愛の形よあら愛に定義を求めるのいけないわそんなことは心に対

する侮辱よ定義なんていらない唯一つだけ言葉があればいいの愛して

――『黙(だま)ってろ』

愛し……て……？　……て？　……愛し……愛……愛……愛？

「黙ってろっつってんだよ！　右目ぇ！」

ブツリ、と、男の中に響(ひび)く愛の言葉が途切(とぎ)れた。

同時に、男の右目の辺りからも、ブツリ、という音が響き渡る。

ただし、後者は男自身の鼓膜(こまく)に響いた本物の音だったのだが。

「……っ！」

男の様子を見て、驚愕(きょうがく)したのは『切り裂き魔(さま)』の方だった。

何しろ、男は斬(き)られた右目を――自らの手で抉り取ったのだ。

男は自らの右目をグシャリと握(にぎ)りつぶし、切り裂き魔の前に立ちはだかる。

先刻までの恐れは何処(どこ)へやら、残った左目で、やや光が安定してきた街灯(がいとう)に照らされた切り裂き魔の姿を強く強く睨(にら)み付けていた。

並の人間なら、その眼光だけで悲鳴を上げていたかもしれない。

だが、切り裂き魔の取った行動は、そんな男に対して口を開く事だった。

「……凄いのね、貴方」

「……」

「そんな風に、この娘の声から逃れた人なんて初めてだわ。罪歌ったら、驚いて私の奥に引っ込んでいっちゃったみたい。フラれたみたいでショックだったのかしら」

女の声は冷静で、どこか安堵の念すら見え隠れしている。

とても『切り裂き魔』とは思えぬ声で、男に少しずつ近づいてくる。

いつの間にか女の体から無数の刃は消え去っており、残るのはその手に握られた通常の大きさの日本刀だけだった。

「良かった……誰も、止めてくれる人なんていないと思ってたけど……」

赤く光る女の瞳から、ポロリと大粒の涙がこぼれ落ちる。

涙は赤い光を反射させ、まるで血涙のように女の頬を染め上げた。

「貴方が……私を終わらせてくれるの？」

自殺願望とも取れる言葉を紡ぐ切り裂き魔を前に、男は静かに首を振る。

「いや……すまねえけど、あんたが何を言ってるのか、俺にはさっぱり解らねえ」

そして、女の持つ日本刀を恐れる事なく、勢い良く歩み寄る。

「ただ……あんたに言いたい事があったからよ。五月蝿い音を黙らせた。それだけだ」

男は既に、刀の間合いにまで踏み込んでいる。

だが、女は男を斬ろうとしない。

「あんた、名前は」

「……」

「いや、やっぱいいや。名前なんてどうでもいい」

やがて、男の手が届く間合いにまで接近し、男はそこで立ち止まった。

そして——首を傾げる赤目の女を前に、男はゆっくりと口を開く。

生まれて初めて、自分の中に湧き上がった衝動を、心のままに伝える為に。

「……惚れた」

「……え？」

男の吐いた三文字の言葉に、切り裂き魔はその赤い目を丸くする。

そんな切り裂き魔を前にして、男は自分の人生をかけた言葉を紡ぎ出した。

今まで他者に与えて来た『傷』を積み上げて作った自分自身。その赤黒い欠片を、全て吐き出してしまうかのような勢いで。

「生まれて初めて、女って奴が綺麗だと思った。抱きしめてえと思った」

「……」

「あんたが人間なのか化け物なのか、いや、鬼子母神だろうが関係ねえ。俺は、人間だの化け物以前に、女としてのアンタに惚れた」

冷静を装ってはいるものの、興奮までは隠せないのか、男は徐々に早口になっていく。

「会ったばっかで、しかも今目ン玉あぶった切られたばっかなのにこんな事を言うのは手前でもおかしいってのは解ってるが、もうそんな理屈じゃねえ。頼む、俺と結婚してくれ！」

出会ってから僅か数分。

相手は化け物。

しかも片目を切りつけられ、それを永遠に失うという極限の状況。

誰もが、男が発狂したと考えるだろう。

だが、男の脳味噌は、右目を失った痛みと喪失感に堪えつつも、極めて正常に近かった。

それが『一目惚れ』だったというのに男が気付いたのは、暫く後の事だった。

傷つける対象に過ぎなかった筈の者が、弱い物と思っていた女が、今、目の前で自分を殺しうる『対等な存在』として立っている。

赤く光る眼の妖しさが、女性らしいボディラインが、夜の闇に隠れるように靡く黒髪が——その全てが一つの女性の魅力となって、男の心を締め付けた。

告白など初めての経験。

老若男女を含め、初めて他者を好きになったというウブな勢いは、男が纏っていた『暴力』というプライドをどこか遠くに吹き飛ばしてしまった。


だが——

初めての告白は、玉砕に終わる。

「……ありがとう。こんなになっちゃった私を好きって言ってくれるなんてね」

女は、クスクスと楽しそうに笑い——そして、その笑いの中に寂しさの色が混じる。

「でも、御免なさい」

女は首を振りながら、ある意味で先刻の刃より深く男を抉る言葉を吐き出した。

「私、もう結婚してるの」

「……っ！」

「夫も娘も、私は今でも愛してる。だから、貴方の気持ちには応えられない」

決定的な事実を前に、男は自分の膝が震えているのが解った。

悲しみか、怒りか、恥ずかしさか、それとも、自分を拒絶した彼女の言葉すら美しいと感じていたのだろうか。

男は両手で自分の顔面をぴしゃりと叩く。眼球を失った右目から流れる血が男の手を染め、猛烈な痛みが男の顔面に襲いかかる。

しかし、それでも悲鳴を上げず、男は気力を振り絞って膝の震えを押さえ付けた。

「そうかい……そいつぁ残念だ。……やっぱ、名前聞いといていいか？」

「……」

「安心しろよ。お前の旦那や娘さんをどうこうしようってんじゃやねえ」

女は暫し迷っていたようだが、男の目を見て何か思う所があったのだろう。

ある種の覚悟を決め、彼女はゆっくりと口を開く。

「……ええ、娘と夫に手出ししたら、その時は全力で斬ります」

「ハっ。……構わねえよ」

「私の名前は……園原沙也香」

その名前を聞いて、男はハッとする。

園原。

これから彼が殴りに行く予定だった古物商の名だ。

「……こりゃ、運命かね。あんた、自分の旦那を助けたぜ」

「え？」

「いや、なんでもねえ」

苦笑しながら、男は『切り裂き魔』に背中を見せ、ゆっくりとその場を後にした。

「俺の名前は赤林。まあ、旦那に愛想をつかす事があったら教えてくれや」

「あんたの大事な娘の面倒も、纏めて見てやれるぐらいの甲斐性はあるからよ」

♂♀

現在　池袋　タクシー内

『おう、赤林か』

乗車中に鳴った電話を取ると、赤林の耳に馴染みの声が聞こえてきた。

「青崎さんかい。ほんと、俺がタクシーに乗ってる時に電話してくるの好きだねぇ」

『お前の都合なんざ知るか』

「で、なんの用だい、青崎さん？　お嬢の件なら、とりあえずは落ちついたけどねぇ」

『何、今日は手前にお別れを言いに来ただけだ』

携帯の向こう側から、低い嗤い声が漏れてくる。

「へぇ？　とうとう俺をぶっ殺す気かい？　それともアンタが謀反でも起こして栗楠会を出て行くのかい」

『バカが。そんな真似しても何の利益もねぇだろうが』

「そりゃそうだ。アンタ、栗楠会長への杯だけは本物だからねぇ」

『黙って聞け』

苛立ちの色を交えながら、青崎は静かに語り出す。

『奔放にやりすぎたな、お前』

『5年前の亡霊どもが、お前をぶち殺しに来るとよ』

♂♀

5月5日　夜　某廃ビル

都心部からは大分離れた場所にある、一軒のビル。

何らかの事情で、改装中のまま工事が止まっているようだ。

二階までは通常のビルの形状をしているが、それより上の部分は建築中のまま作業が止められており、剝き出しの鉄骨が夜の闇の中で不気味に浮かび上がっている。

そんな中――『彼ら』は、ゆっくりとそのビルの周囲を取り囲んでいた。

「あいつか？」

「ああ、間違いねぇ」

顔にバンダナなどを巻いた、パーカー姿の男達。僅かに覗く腕や首筋には、共通したデザインのタトゥーシールが貼られている。

彼らは手に手に鉄パイプやナイフ、釘を無数に打ち込んだ角材などを握り込んでおり、廃ビルで肝試しというよりは、自らが化け物として襲いかかる側という格好だ。

「マジであのオッサンを砂にして埋めるだけで二十万かよ」

「それだけじゃねぇ。ブツも優先的に回して貰えるって話だ」

「俺はブツ売るときの歩合を上げて貰えるって聞いたぜ」

様々な情報が錯綜する中、タトゥーシールの男達の中で共通していた事実は一つ。

自分達の仕事は、今しがた廃ビルの中に入っていた赤林という男を殺すことだ。

彼らの殆どは、相手が『粟楠会』の幹部という事を知らない。

ついでに言うならば、粟楠会という存在自体知らない面子だ。

だが、彼らは人を殺せば報酬が貰えるという話に乗った薬の売人の一味であり、そういう意味では粟楠会の事を知っていた所で『バレなきゃ大丈夫だろ』と躊躇わずにこの場に来ていたかもしれないが。

要するに、彼らは売人グループの中では捨て駒的な存在なのだ。

しかし、彼らはこうして『赤林』の居場所を突き止めた。

「まったく、ダラーズってのは便利だよなぁ」

男達の一人が、携帯電話の画面を見る。

彼は今日の夕方から、『自分の恩人であるこの人を探しているんですが、どこにいるのか解りません！　見かけた人が居たら教えて下さい！』というメッセージを、上層部から配られた赤林の写真と共にダラーズの掲示板に貼り付けていたのだ。

すると——今日の夕方、その男の寝泊まりしている場所が、この廃ビルという情報が寄せられたのだ。

「ったく、ヤサが解らねぇと思ったら、こんなとこでホームレス生活たぁな」

「でも、あいつ超つぇーって話じゃね？」

「心配ねぇって」

不安そうな男の前で、別の男が手に握る何かを掲げて見せる。

それは、自家製の火炎瓶だった。

「何本か持ってきてるからよ、ビルを適当に燃やしちまおうぜ」

男の声に躊躇いはなく、周りの若者達もまた、それは名案だと笑い合う。

何人かは自分達の薬に手を出しているらしく、焦点の定まらぬ目で火炎瓶を手に取った。

「で、奴が逃げてきた所を掻っ攫って山に運んじまえば……終わりだろ」

「全くだ」

「とっとと燃やそうぜ」

正常な目をした者達も含め、彼らはケラケラと笑い出す。

そういう意味では、その独特なタトゥーシールを貼り付けている時点で、彼らの心はまともではなかったのかもしれないが。

♂♀

同時刻　廃屋内

「……よく、ノコノコ面ぁ出せたもんだな、赤林」

強面の男が、廃ビルの奥に倒れたドラム缶に腰掛けながら呟いた。

彼の周りには十名ほどの男達が並んでおり、その誰もが堅気という雰囲気からはかけ離れている。

そんな彼らに相対するのは、いつも通りの格好で杖を手にした赤林が一人だけ。

赤林は、自分を憎しみの目で睨み付けてくる男達を前に、飄々とした態度で口を開く。

「なあに、昔世話になった先輩方の呼び出しだ。来ないわけにはいかねぇでしょう」

「……随分と、喋り方が変わったな。昔の手前は、俺達を騙す為の皮を被ってたってのか？それとも、今はそうやって大人しいふりをして、粟楠も内側から食いつぶす気か？」

「いやいや、人間ね、成長するもんですよ。二十歳を過ぎたらもう人格なんて変わらねえと思ってましたけどねぇ。衝撃的な経験って奴は、人を変えるもんです」

カツリ、と床を打ち鳴らしながら、淡々と語る赤林。

「例えば、切り裂き魔に襲われるとか、生まれて初めて女に一目惚れしちまうとかねぇ」

「減らず口を……」

「ところで、一対一で話し合いたい、っていう事だったけど、周りに顔見知りが勢揃いしちゃってる感じなのは気のせいかい？　それとも俺の幻覚かな？」

首をコキリと鳴らして周りを見渡す赤林に、強面の男は口元を緩めながら呟いた。

「ああ、話すのは俺一人さ。話以外は、保証しねえがな」

「なるほどねぇ。ところで、車がビルの周りに無かったけど、あんたら、歩いてきたのかい？」

「……？」

危機的状況にも関わらず、赤林は余裕の笑みを崩さない。

　そんな赤林の態度を訝しみつつ、男は赤林の問いに言葉を返した。

「……いや、お前がビビって逃げると困るんでな。離れた場所に置いてきた。まあ、まさか本当に来るとは思わなかったがな。イザとなりゃ、お前の知り合いでも適当に探し出して攫うつもりだったんだが」

「それが嫌だったから来たんですよねぇ。まあ、何にせよ、車がないのは良かった」

　赤林は頬を掻きながら、笑みの色を僅かに濃くする。

「……？」

「いえね、車がたくさんあると、ビビって逃げちゃうかもしれなかったからねぇ」

「何を……言ってる？」

「俺もあんたらと同じ考えでね。話し合うのはサシでも、殺し合いにサシで来る程にヒーロー気取りじゃないって事です」

「⁉」

　男達の顔に緊張が走る。

　──まさか、栗楠が裏切ったのか？

　その可能性を考え、全身を強ばらせつつも、相手の真意を探る為に赤林に問いかける。

「……お前、自分が栗楠に捨てられたってのに気付いてねえようだな」

「……ああ、ひょっとして、もううちの会長とは話がついてるんですかい？」

赤林の答えに、男は更に混乱する。

「手前と俺らのやり取りに、粟楠会は一切干渉しねえとよ。何か助けでも呼んでたのかもしれねえが、お前の後ろには誰も――」

コツリ。

男が相手を揺さぶろうとしたのだが、その声を遮る形で、赤林がビルの床を打ち鳴らす。

「あっはっは。誰も、粟楠会とは言ってないでしょう」

「!?」

「俺が、粟楠会以外にも通じている……とは考えなかったんですかい？」

「まさか……っ！」

組長殺し。

自分達はその疑いを持って、この赤林をここに呼び寄せた。

それが意味するものを今更ながらに思い出し、男達の背に脂汗が滲み始める。

――まさか、他の組の連中が……？

「……ハッタリだろう？」

「そう思うなら、窓から覗いて見ればいいや」

赤林の言葉を聞き、男は周囲にいた仲間の一人に目配せをする。

外を見るように促されたスキンヘッドの男は、息を潜めながら窓の方に向かう。

恐らくは狙撃を警戒しているのだろう。身を低くしながらガラスの嵌められていない窓に近づいていったのだが――

ガシャリ

という、ガラスの割れる音が屋内に響き渡った。

工事中の為、窓にはまだガラスが入っていない。

音の正体など、考えるまでもなかった。

スキンヘッドの男が、悲鳴を上げる間もなく激しい炎に包まれたからだ。

「ぐあぁぁあっぁあああぁぁあっ！　あぁあっぁあああぁっぁあっ！」

同時に、床にも何かの液体が散乱し、男から一瞬遅れて燃え上がる。

火炎瓶だというのはすぐに解った。

だが、それに基づいて体を動かす前に――

窓の外から次々と赤い火を携えたビンが現れ、ガラスの破砕音がリズミカルに木霊する。

「外だ！　外に何人もいやがる！」

ごろごろと転がりながら、自らの顔についた火をすんでの所で消し止めたスキンヘッド。

彼はビンが当たる寸前に、建物の周囲を取り囲む無数の人影を確認していたのだ。

その声に合わせ、何人かは部屋の奥に退避し、何人かは逆に窓の方へと走り出した。

壁に身を隠しながら、窓を横から覗き込み――男達の一人が、懐から拳銃を取り出した。

そして――躊躇う事なく、外を取り囲む人影達に発砲を開始する。

♂♀

パン、という激しい音が響いた時、ドラッグの売人達は、建物の中で何かが破裂したのだと考えた。

だが、それが誤りだと気付いたのは――男達の一人が、ワナワナと震えながら崩れ落ちるのを確認したからだ。

「お、おい……？」

「い、痛ぇよ、足、足、が……」

見ると、男のジーンズの太股のあたりに丸い穴が開き、そこを中心として赤いシミが広がり始めている。

それが弾痕だと気付くのと、二度目、三度目の破裂音が響くのは殆ど同時の事だった。

「やべぇ！ チャカだ！ あの野郎！ チャカ持ってやがるぞ！」

「ぶっ殺せ！」

この時点で――彼らはまだ、愚かにも相手が一人だと思っていた。

せめて彼らがこうした襲撃に慣れた玄人だったならば、最低限でも人数確認や偵察は行っていたのだろうが——素人である事に加え、半分は薬で脳味噌が正常ではなくなっており、そんなまともな行動ができる状態ではなかったのである。

そして、男達の中でもまだ冷静だった何人かは逃げ出したものの——

興奮しきっていた男達の殆どは、復讐とばかりに廃ビルの中へと乗り込んでいった。

この時点をもって、小さな抗争が勃発した。

都心から離れたビルの中で——

それぞれの組織が、お互いの正体すら知らぬままに。

♂♀

混乱状態となった廃ビルの中、赤林と相対していた男が、炎に満ちた空間の中で叫びあげる。

「赤林ぃいいぃ！　手前！　嵌めやがったなぁあっ！」

炎の中を見回すが、既に赤林の姿は見あたらない。

正確に言うならば、彼は最初にスキンヘッドが燃えた時——男達の視線が全員その一点に集中した時点で、どこかに姿を眩ませていた。

「組長を殺したのは、やっぱり手前かぁ！　赤林ぃぃ！」

血を吐き出すような絶叫を聞きながら、赤林は独り言を呟いた。

「俺は、組長を殺しちゃいないよ」

ビルの裏口から、何事も無かったように出ていく赤林。

「ただ、見捨てただけ、、、、さ」

彼の足元には、裏口を見張っていたタトゥーシールの男が二人ほど転がっている。

そして、彼がビルをある程度離れた所で、数台のパトカーとすれ違う。

「お、来た来た、タイミング良かったねぇ。予め通報しといて良かった」

物陰に隠れながらすれ違うパトカーをやり過ごした赤林は、そのまま裏道を通って更に現場から離れる事にした。

燃えるビルと銃声を確認したのか、パトカーの中で無線機を手にしている警官の姿が見えた。

そんなパトカーを背にしながら、赤林は携帯電話を取り出した。

ダラーズのＨＰを開き、自分の投稿に対して削除キーを打ち込み始める。

【この人なら、リンク先の地図の廃ビルで寝泊まりしてますよ、、、、】

と、ビルの写真が添えられた投稿を消しさり、赤林は自らの飛ばし携帯をポケットにしまい込む。

そして、夜空を見上げながら、いつも通りのヘラリとした表情を浮かべて独り言を呟いた。

「ダラーズってのは便利だけどよ、本当、怖い連中でもあるよねぇ」

♂♀

5月6日　朝　粟楠会本部

【都内で暴力団と若者グループの抗争発生か！　十六人死傷！　深夜の壮絶な逮捕劇！】

そんな見出しのスポーツ新聞を読みながら、老齢の男は呟いた。

「おい、見ろよ青崎。聖辺ルリの写真集が出るってよ」

見出しとは全く別の芸能欄を見ながら、老齢の男はカラカラと嗤いだす。

「3000部の限定版が出るっつうからよ、こりゃプレミアが付くぜ。なんだ、全部買い占めてやふおくとかいうのに出せば大儲けできるんじゃねぇか!?」

「さあ……そういうのは四木か風本に聞いて貰わねえと。俺にはちょっと……」

「そうか……まあ、俺の分は三部買っておくように、若い奴に言っといてくれ」

「年を考えて下さいや、組長。若い奴への面子ってもんが……」

青崎は静かに首を振り、こちら側に見えている新聞の大見出しを見て呟いた。

「……で、組長は、解ってたんですかい。こうなるのが」

それは当然、赤林の絡んだ二つの事件の結末の事だった。

結果として、様々な罪状を叩きつけられ、出所したばかりの同業者達は根こそぎ逮捕される事となった。タトゥーシールの若者達も根こそぎ逮捕され、警察やマスコミも姿の見えない大学生達の組織に本腰を入れて追及を開始する事だろう。

粟楠会としては、敵とまではいかないが、厄介な組織が二つ一遍に片付いた事となり、警察の目も暫くそちらに向くというオマケまでついていた。

青崎の問いに対し、粟楠道元は新聞を見たまま答えを返す。

「なに、半々ってとこだ。赤林なら手前でケツぐらい拭けるだろとは思ったし——どうやら、奴にお節介をした奴もいるようだしな」

「……なんの事ですか」

「誰かがあいつに、狙われてるって事を教えたんじゃねえかな。でなきゃ、あそこまで手の込んだ前準備はできやしねえだろ」

新聞の端から覗く目は、青崎に向けられている。

「……そいつが誰かは知らねえが、恐らくは、手出しはしねえって話だったんで、口を出したまででしょう」

「はっ。お前がそんな冗談を言うたぁな。やっぱり、赤林とのケリは自分でつけてえってか？」

「それこそ冗談でしょう、組長」

道元の問いに対し、青崎は笑いながら首を振った。

「昔のアイツならともかく、丸くなっちまったアイツをぶっ殺した所で、何の意味もねぇ」

「丸、ってのは、いろんなもんを受け流せるいい形でもあるんだぜ……おっと」

会話の途中で、机の上の電話が鳴り響く。

道元はあたふたしながら受話器を取り、咳払いをしつつ耳に当てた。

受話器からは、なにやら悲痛な叫びが聞こえてくる。

どうやら、昨日の事件で逮捕された新興暴力団の面々が、粟楠会に助けを求める電話だろう。

そして、道元はそれまでと口調をがらりと変えながら、冷淡な声で呟いた。

「困りましたな。我々は貴方達の行動に一切干渉しない、それで話はついた筈だ。貴方達が赤林に喧嘩を売って逆に嵌められたとして、知ったことではありません」

彼らの組織は、甘くはない。

やはり、彼らもまた――街の闇を造り上げる存在である事に変わりはないのだ。

電話を切った後、道元は再び新聞を手にし――冷酷な笑みを浮かべて青崎に呟いた。

「俺はね、取引相手を裏切る事はできないが……見捨てる事はできるんだよ」

♂♀

5年前

切り裂き魔と出会ってから、男は変わった。

彼は『切り裂き魔にやられた』という事実は伝えたが、『身長2メートルを超える白髪の老人だった』と、全くの大嘘を吐き出した。当時読んでいた漫画の台詞を流用した言い訳だが、誰も気付く事はなく、『奴も所詮は人間だったって事だ』と、組の内部で笑われるに留まった。

そして、怪我を理由に、男は園原堂に対する仕事を待って貰う事にした。

これは自分が引き受けたヤマだから、自分でケジメをつける。

そう言って、園原堂の事を調べつつ、なんとか一家を、あの美しい『切り裂き魔』を助ける事ができないかと模索していたのだが――

ある日、園原堂の両親が切り裂き魔に殺されたという事を知る。

夫の首は綺麗に刎ねられ、妻は腹部を切腹のような形で刺し貫かれていたという。

残された娘はショック状態が続いているのか、何も話せぬままだ。

最初にその話を聞いた時は、信じられなかった。

どうしようもない喪失感が、男の身体を包み込んだ。

右目を失った時など比べものにならないほどの、自分の人生そのものを奪われたかのような気分に陥った。

だが、同時に彼は気が付いていた。

妻の方——園原沙也香は、自殺であると。

何しろ彼女は切り裂き魔本人だ。何があったのかは解らないが、彼は愛していると言った夫の首を刎ね、自らの腹を刺し貫いたのだ。

だが、何故そんな事をしたのだ。

娘も夫と同じぐらい大事なのではなかったのか？

無理心中でもなく、夫だけを殺して娘を一人残して自殺するなど、一体彼女の身に何が起こったというのか——

そんな事を悩み続けていた時、当時の彼の組織の組長が、夜の町でこんな事を言い出した。

「おう、赤林。もう、園原堂の事は心配する事ぁねえぞ」

「……はい？」

男――赤林は、その腕を買われて組長のボディーガードをする事が多々あった。

この日も、組長が他の組員達を連れずに、一人でお気に入りの妾の家に向かう最中だったのだが――

「園原堂の両親、おっちんじまったろうがよ。あれで、何もしなくてもあの土地は俺らのもんになるってわけだ。全く、切り裂き魔様々だぜ！」

「……」

「おっと、その切り裂き魔に目をやられた手前に言う事じゃなかったな」

下品な笑みを浮かべながら、その組長は楽しそうに言葉を続ける。

「もっとも、どっちにしろ、あの家はお終いだったがな」

「……？」

「あの店主によ、ちょいと薬の味を覚えさせてやったのさ」

「……っ!?」

薬、というのが何を意味しているのかは一目瞭然だ。

赤林は暴力こそが彼にとっての全てだったため、『自分で骨を脆くする奴の気がしれねえ』と、元から麻薬の類を嫌ってはいたのだが――さりとて、組が大量に扱っている薬のビジネスを止める事もしなかった。気に掛ける事もしなかった。

　だが、その結果が——組長の口から下卑た笑いと共に語られる。

「もう土地を取れる程の借金の証文は手に入れたんだけどよ。まだ絞り取れると思ってな……あいつに持ちかけたのさ。『家族に保険金でもかけて、金でも作ったらどうだ』ってよ」

「……っ！」

「まあ、元から家族に暴力振るってたらしいけどよ。薬をやり始めてから一層酷くなったみてえでな。相当頭もイッちまってたんだろう」

　酒が入っているのか、組長はボディーガードに対して自慢するかのように、今回の事件の顛末を話し続けた。

「これは新聞になってねえけどな、生き残ったガキの首には首絞めた痕があったんだと。警察は切り裂き魔じゃねえかって言ってたが、俺は思ったね、その日かどうかは知らねえが、あのオヤジ、自分の娘を絞め殺そうとしたんだってな！　俺らから薬買う金作る為によ！」

「……」

「な、な？　バカだろ？　手前で殺しちゃ、保険金なんか下りる筈ねーだろってのによ！　それともバレないとでも思ったのかね？　どっちにしろ、大爆笑な話だぜ」

　その組長もまた、自分の言葉に酔っぱらっていたのか、周りを見る事ができていなかった。

「それでよ、その娘ってのが、割といい女になりそうなガキでよぉ！　借用書を適当にでっちあげて、そのガキを使ってまた一稼ぎできそうでな！　いや、俺が味見するってのもアリか？　流石にまだ12ぐれぇのガキは未体験だけどなぁ！　ガハハ！」

だからこそ、彼は多くのものを見落とした。見落としてしまった。

一つは、横に立つボディーガードの男の纏う空気が急速に冷え込み始めていたという事。

一つは、ここが周囲に人気の全く無い路地裏だったという事。

一つは――彼らの前から、包丁を持った男が、殺気を放ちながら近づいてきたという事。

「ん……？」

最後の一つには、流石にその組長もすぐに気が付いた。

包丁を握ったその男は、上機嫌の組長を強い憎しみの目で睨み付ける。

「お前が……」

「なんだ手前！　どこの組のもんだ！」

ドスをきかせた声を放つ組長に対し、包丁を握った青年は、目から涙を流しつつ呟いた。

「お前が……姉貴を……あんな風に……」

「あ……？　……ああ、なんだ、お前、こないだのあの女の弟か。そういやあの女の持ってた家族写真に写ってたな」

「お前が……姉貴にクスリを……！　お前のせいで！　姉貴はもう……二度とまともに起きる事すらできないかもって……っ！」

どうやら、やはり麻薬絡みで何か組長に恨みのある人間のようだ。

「はん。最後にクスリでたっぷりと天国が見られたんだから、感謝して欲しいぐらいだぜ？ほら、仕事だぜ、赤林。この逆恨み野郎をちょいと捻って……。……って……て……て……」

指示を出しながら赤林を振り返った組長だったが——

彼は、そこで全身を凍らせた。

虫けらでも見るような目、とは良く言うが——

長身の赤林が組長の事を見つめる視線は、まるで虫けらを眼力だけで踏み潰すかのような、強い蔑みと怒りが籠められていた。

見下ろされているだけなのに、両肩を強く押さえ付けられている気がする。

どうしようもない圧力が、義眼である筈の右目からも強く強く感じられた。

「て、手前、なんだ……その……目つきは……よ……」

赤林に気圧された組長が、思わず言葉をあげるが——あまりの赤林の視線の圧力に、彼は重要な事を一つ忘れていた。

今が、よそ見などをしている場合ではないという事を。

数分後。

地面には、うつぶせに倒れたピクピクと痙攣させる組長の姿があり、上半身を中心として、赤い水たまりが広がりつつあった。

少し離れた場所では、血の滴る包丁を持った青年がカタカタと震えている。

「……」

赤林がそんな青年に一歩近づくと、彼は赤林に対して包丁を向ける。

だが――赤林の纏う雰囲気を見て『勝ち目が無い』と思ったのか、復讐を果たした青年は、そのままペタリと座り込んだ。

「殺せよ……殺せばいいだろぉ！　もう、もうどうにでも……がっ」

その頬をバチリと叩きながら、赤林は呟いた。

「お前が死んだら、誰がお前の姉貴の面倒みんだ？　あ？」

「……っ！　……？　……え？」

相手が何を言ってるのか解らず、青年は震えたまま赤林の顔を見上げた。

「……行けよ。包丁は隠していけ。運がよけりゃ、切り裂き魔の仕業になるだろうよ」

「……!?　あ、ああ、あ……ありが……ありがとうございます！」

青年は慌てて立ち上がり、包丁を懐に隠してその場を走り去った。

彼自身も、何故見逃されるのか全く理解できていないはずだ。

だが、混乱する彼は、姉貴という単語にわずかな理性を取り戻し、その場を逃走する為に駆け出したのだ。

「ありがとうございます、だと？」

赤林は、組長の死体を見下ろしながら、吐き捨てるように呟いた。

「礼なんか言うんじゃねぇよ……。俺を恨めよ」

「俺は……手前を人殺しにしたんだぞ……」

♂♀

現在　山手線某駅周辺　繁華街裏道

「お、ルリちゃんの写真集出るのかい。そいつぁ予約しておかねぇとなぁ」

粟楠道元と同じスポーツ新聞を読みながら、裏道を歩く赤林。

そんな彼は、記事の中のとある単語に目を止める。

「ああ、そうか、今は新しい事務所だったっけねぇ。澱切もまだ見つからないのか。四木の旦那も大変だねぇ、と」

その単語は、聖辺ルリの所属する、新しい芸能事務所の名前だった。

「Jack-o-Lanternかい」

特徴的な事務所の名前を見て、赤林はどこか自嘲気味な笑いを口元に貼り付ける。

——まさにそりゃ、俺の事だ。

ジャック・オー・ランタンとは、ハロウィンなどで使われるカボチャ顔の妖精の事だ。

元はアイルランドの伝承で、悪事を働いたが故に死者の国に入れず、悪魔を騙した事により地獄へ堕ちることもできなくなり、野菜で作ったランタンを持って永遠に地上を彷徨い続ける一人の亡霊の事なのだそうだ。

任侠の世界で御法度とされる親殺し。

彼が直接殺したわけではないが、見殺しにした事は動かしようのない事実だ。

そして、当然ながら自分が天国に行ける人間とも思っていない。

街の表側にも裏側にも染まりきれず、ただ飄々と彷徨い続ける亡霊のような存在。

——まあ、ジャックランタンってのはかっこつけすぎか。

そんな事を思いながら笑う赤林の背後に、まだ小柄な影が迫る。

人影の手には、鋭いナイフが握られていた。

だが――

「よっと」

「！」

一体いつから気付いていたのか――振り返り様にその人影の手を取り、鮮やかにナイフを奪い取る。

見ると、その人影はまだ15歳前後かという少年だった。

「ほらほら、子供なら子供らしく、こんな玩具で遊ばないで。家の中に閉じこもってゲームでもしてなさい。誰にも怪我させせないようにねぇ」

「ひッ……、う、うわあぁ！」

そのまま走って逃げていく少年。

彼を追いかける事もせず、赤林はそのナイフをポケットにしまい込む。

「……小さいナイフって、燃えないゴミでいいんだっけか？　金物かな？」

そんな事を呟きながら、今し方の少年について考える。

首筋にタトゥーシールが貼られているのが見えたので、恐らくは昨日の連中の残党だろう。

あるいは、赤林を刺せばメンバーに加えるとでも言われたのかもしれない。

――やだやだ、シールがなきゃ本当に見分けつかないような子だったじゃないか。

同時に、ダラーズや昨日の杏里の反応などを思い出し、街の空気が微妙な生ぬるさを漂わせているような気がしてならなかった。

――本当に、最近の子供は昼と夜の区別もつかないくらい曖昧なのかねぇ。

――まあ、カボチャオバケの俺が言えた台詞じゃあねぇか。

そんな事を思いつつ、彼は独り言を呟いた。

「ただ、祈るぐらいは自由だよねぇ」

――できる事なら、杏里の嬢ちゃんや茜のお嬢が、変なゴタゴタに巻き込まれないように

――昼と夜の境目ぐらい、はっきりしてほしいもんだ。

彼は初恋の相手の娘の顔を思い出す。

母親似に育った彼女を見て、赤林はかつての『切り裂き魔』を思い出した。

もしかしたら――

もしかしたら、ジャックランタンのように、地獄に堕ちる事もなく、善人となることもなく『境界線上』を漂い続けたならば、いつかまた、あの切り裂き魔に出会う事ができるのではないかと。

――んな馬鹿な。

――漫画の読み過ぎかねぇ。

再び自嘲の笑みを浮かべた赤林は、カツリと杖を鳴らし、その場から歩きだした。

「まあ、嬢ちゃん達が『夜が好き』っていうなら……そりゃ、おいちゃん達に止める資格なんてないんだけどさ」

そして、男は歩き出す。

夕暮れの街の中、街の表と裏の境界線の下側を。

一目惚れした瞬間の衝撃を、無くした右目に焼き付けたまま――

ヘラリヘラリと笑いながら、男は再び、街の奥へと姿を消した。

日常C

『取り立てラプソディー』

その噂（うわさ）は、最初の時点では、事実だけが語られていた。

「なあ、知ってるか？」

「平和島静雄（へいわじましずお）いるだろ」

「静雄が」

「あいつ」

「女の子を連れて歩いてたって」

「平和島静雄が」

「まだ9歳（さい）ぐらいの」

「ヤクザと揉（も）めたらしい」

「ビルに素手（すで）で昇って」

「女に刺された」

「車を蹴り転がしたってよ」

「でも、ナイフが刺さらなくて、コロンで地面に落ちたんだって！」

「女の子を抱えて車から飛び降りるのを見たって……」　「バイクを片手で投げたってよ」

「ハンパねー」

ネットや電話、口コミによって広まる噂話。

連休中に起こった様々な出来事の中で、一つの妙な傾向が現れる。

一人の男の話題が突出して目立ち始め、まるで連休中の池袋のあらゆる場所で暴れているかのような。

元々『街中でバーテン服を着ている男』として、池袋の中で否応にも目立つ存在だ。

バーテン服だけならば客引きか何かと思われて終わりだろうが、金髪にサングラス、更にはドレッドヘアの男とつるんで歩いている為、最初は『近寄らない方がよさそうな人物』として認識される。

だが、彼を良く知れば知るほど、その接し方によって評価は徐々に分かれていく。

『近寄らない方がいい』から、『絶対に近寄ってはいけない』、『思ったよりもいい人』『見かけたら逃げろ』『土下座しろ』『諦めろ』と、多種多様な評価に分かれてはいくものの、常にその評価は極端だ。

まるで見た事も無い怪獣か何かを語るような勢いで、極端な評価は極端な噂を呼び寄せ、その事実をさらに極端にねじまげる。

「ねえ、知ってる？」

「平和島静雄っているだろ」

「あの化け物」

「あいつ、死んだらしいぜ」

「車に跳ね飛ばされたってよ」

「女の子を守ろうとして」

「ダンプに跳ねられて」

「静雄が」

「あいつが」

「バイクにもぶつかったって」

「ヤクザと揉めて、ビルから落とされた」

「女に刺されて死んだってよ」　「マジで」　「子連れだとよ」

「ハンパなくない？」

全くのデタラメ。

極端と言えば極端だが——『静雄が死んだ』という一言は、一部の者達には衝撃的なフレーズとなって、物凄い速さで伝達していく。

その最中、噂には修正が行われる。

平和島静雄が、車に跳ねられた程度で死ぬだろうか？

答えは否。

静雄を良く知る者、静雄の噂に興味を引かれる者ほど、それだけは確信を持って言えた。

『平和島静雄が、そう簡単にくたばるわけがない』

その絶対的な自信が、噂に修正を加えていく。

多くの人々の理性、偏見、願望などに揉まれる事によって、噂は徐々に地ならしされていき、一つの統一的な『形』を生み出した。

広まりすぎた噂は、時に都市伝説となる。

都市伝説は明確な『形』を得る事によって、更に深く広まっていくのだ。

例えば、クラブに屯する不良少年達の間で。

「……おい、聞いたか？」

「何をだよ」

「平和島静雄だよ」

「……あの化け物がどうしたって？」

「あいつ……トラックに跳ねられて、大けがしたらしいぜ」

「……マジか？」

「ああ。ヤクザに追われてビルから飛び降りた所を、こう、ドンっ……て感じらしい」

「じゃあ……今、奴はボロボロってわけか」

例えば、静雄を潰して自分達の名を知らしめようとしている、薬の売人達の間で。

「だけどよ、一応は普通に立って歩いてるらしいじゃねえか」

「いくら怪我してるからって、五体満足のアイツに喧嘩売る気はねえぞ」

「びびってるわけじゃねえが、確実にアイツを殺れなきゃよ……」

「だったら、もう一つ、いい話があるぜ」

「なんだ？」

「あいつ、女ができたらしいんだ」

「マジか⁉」

「なんでも、街の中を女連れで歩き回ってたらしいぜ」

例えば、それはかつて静雄に潰されたチーマーの残党達の間で。

「……静雄が弱ってるってのは、またとないチャンスだと思うけどよ……」

「その女っていうのも、ただ道案内してただけかもしれないしよ……」

「まあ聞けって！　それがよ、その女、コブつきだったらしいんだよ」

「は？」

「驚くなよ、静雄に、ガキがいたらしいんだよ！　しかも、もう小学生ぐらいのガキが！」

「マジか⁉」

「だってアイツ、齢いくつよ⁉」

「多分、一番ブイブイ言わせてやがった高校の頃に付き合ってた女だろ。で、それが静雄の前に現れて『この子は、あなたの子なの』って話らしいぜ！」

全く持ってデタラメばかりなのだが、彼らはその噂を最終的に信じてしまう。

何故なら、それは彼らの心の奥にある『願望』を刺激したからだ。
信じたというよりも、より正確には『そうであってほしい』という希望に縋りついたのだ。
そして、その噂を信じた者達の最終的な宿願とは――

「……今なら、俺達なら……」

「平和島静雄を、どうにかできるんじゃねぇか……？」

わずか一日の間に流れた噂の数々。
それは、一部の人間達を突き動かした。
真実を知る者達にとっては、破滅にしか過ぎない結末へと向かって。

♂♀

5月5日　昼　池袋某所　古びたアパート

築30年は経過していると思しき古びたアパート。

その一室の前で、扉を強くノックする音が聞こえてくる。

「須川さん。いるよねー、須川三太夫さーん」

ドンドンとリズム良く響く音に合わせ、若い男の声が響き渡る。

やや間があってから、ガチャリとアパートのドアが開かれ、中から貧相な顔。

「はいこんにちは。何で俺が今日来たか解るよね」

ドレッドヘアの男が、しかめっ面で杓子定規な言葉を口にした。

彼の後ろでは、バーテン服の男が大きな欠伸をしている。

金髪にサングラスという、如何にも用心棒という雰囲気の男だ。

そんな男達の姿を見て怯える若い男に、ドレッドヘアの男は淡々と用件だけを口にした。

「じゃ、チャキチャキお金を払おうか」


田中トムは、借金の取り立て人だ。

と言っても、闇金業に手を染めているわけではない。

通常の風俗店からテレクラ、出会い系サイト、ビデオの貸し出しなどを手広く経営している会社に所属している。

その利用者の中で、料金の支払いが滞っている者達から延滞料を回収するという仕事であり
——一応は、合法の範疇に入る職業だ。

もっとも、一部の債務の取り立てに関しては、本来ならば弁護士以外は回収できないというケースもあるし、ビデオの貸し出しなどに関しては、正式に許可を得ての商売なのかどうかまで確認はしていない。

よって、パチンコの換金システムなどよりも黒に近いグレーゾーンに存在する仕事なのだが、トムは今日も淡々とそんな仕事を続けてきた。

これが身寄りのないお年寄りなどから借金を回収する仕事なら彼も、後ろにいるバーテン服の男——平和島静雄もとっくに仕事を辞めている事だろう。

だが、テレクラやエロビデオの金を返さないのはどう考えても同情の余地はない。

流石に『テレクラで生き別れの妹を捜し続けている』という言い訳をする輩が現れれば真偽ぐらいは確かめようとはするだろうが、今の所そのような人間はトムの元に現れていない。

よって、彼にとってこれが正しい仕事というつもりもないが、他の仕事とそうそう差は無いと考えている。

もっとも、料金を滞らせる者の中には最初から踏み倒すつもりの者も数多く存在し、そうした者達の中には非合法な活動を行っている者もいて、危険が常に付きまとう職業である。

そんなこともあり、後ろにはボディガードを兼ねた助手として、平和島静雄と常に行動を共にしているのだが——。

「だからよ、なんだったら裁判所でキッチリ白黒付けてもいいんだけどよ。お互い時間のムダだろ？　別にうちはぼったくってもいねえし、説明以上の料金も取ってねえ。っていうかあんたはまず金の前に、うちの系列の店から借りたビデオ返せ。な。一日二百円の延滞料だけで十五万って、お前どんだけ借りてんだよ⁉」

「まま、待てって！　払わないたぁ誰も言ってねぇだろ！　ダビングしたテープを今ネットオークションに出してるとこでよ！　それが売れたら金が払えるっつってんだよ！」

「ダビン……っ！　アンタ、ふざけんのもいいかげんにしろよ。営業妨害だろそれよぉ。まあその件については今日の所は不問にしてやるから、金かビデオ、どっちか返せ」

どうやら相手は想像以上にダメな人間らしいと確信し、話し合うだけムダと思ったのだろう。手早く回収すべく、家の中に踏み入ろうとするトム。

そんな彼の体を押し返しながら、男は泣きそうな声で音を上げた。

「まま、待ってくれって！　解ったよ！　払う！　払うから！」

「解りゃいいんだ。足りない分はサラ金から借りてでも返して貰うからな」

——やけにあっさりと折れたな。

そう感じたトムだったが——

男は顔に下卑た表情を浮かべ、トムの肩を通り越し、アパートの廊下にいた男に声を掛ける。

「じゃ、さ。あんたが代わりに払ってくれるよな？　平和島静雄くんよぉ？」

「ちょっ、おまっ……」

「……あぁ？」

唐突に静雄の名前が出たことで、トムは体を強ばらせ、当の静雄本人は眉を顰めながら顔をこちらに向けてくる。

──やべえな。

──嫌な予感がする。

トムは数秒後に静雄が切れる姿を予感し、ドアから一歩後退った。

そして、ゆっくりと後ろに下がりながら、静雄に対して問いかける。

「……一応聞いておくけどよ、知り合いか？」

「……、いや……全然知らない奴っすけど」

仏頂面のまま首を傾げる静雄に対し、部屋の中の男はニヤニヤしながら口を開く。

「いやぁ、あんた有名人らしいじゃんよぉ。バーテン服っていうからすぐに解ったよぉ」

「あぁ……？」

あからさまに不機嫌になっていく静雄と、それに比例して二人との距離を取るトム。

そんな空気を読まずに、借金男は自ら地獄の針山へと足を踏み入れる。

「あんたさぁ、羽島幽平の兄貴なんだってぇ？」

「……っ！」

――バッ……！

男の言葉を聞いて、トムは心中で悲鳴を上げかける。

――おいおい、聞いてねえぞ。

「ほぉ……で、俺があいつの兄貴だったら、どうだってんだ……？」

「あんたの弟って超金持ちなんだろ？　アンタもお裾分けぐらい貰ってるだろうから、あぶく銭を持ってるわけじゃん」

――こいつが自殺志願者だって知ってたら、静雄はもっと遠くに待たせてたっての！

トムがアパートの階段を下り、一階あたりまで避難した所で――

男は、とどめの一言を吐き出した。

「だからよ、あんたみたいなチンピラが兄貴だって雑誌とかにバラされたくなきゃ、俺の代わりに金を……」

無論、それは自分自身へのとどめではあるのだが。

ガコリ、と、何かのパーツが外れる音が響きわたった。

同時に、借金男の言葉がピタリと止まる。

それもその筈であり、静雄は自らの右手で男の顔面を握りしめ、ほんの一瞬で顎を外してしまったのだ。

「……で、金を、なんだって？」

静雄が手を離すと同時に、ぶらりと下顎を垂らす借金男。

拳ぐらいは簡単に入るだろうか。大きく開かれた口の下半分が、あやとりのようにゆらゆらと揺れている。おそるおそる両手で触るが、男は自分の身に何が起きたのかまだ解っていないようだ。

「あ、あがが？　あが？」

「まあ、もういいや。その汚ぇ口を閉じろ」

「あ、あがー、あががが！」

閉じたくても閉じる事ができない状態の男に、静雄は一歩踏み込み――

「……いいから……閉じろっつってんだろうがよぉ！」

その怒声を、トムはアパートの外で聞いていた。

一瞬遅れて、何か激しい音が響き――

トムが見上げるのとほぼ同時に、アパートの二階の窓が割れる。

何故窓が割れたのか、その答えは既にトムの視界に映っていた。

借金男の身体が割れた窓からそのまま飛び出してきて――アパートの庭に植えてあった木にぶつかり、枝を何本か折りながらトムの横へと落ちてくる。

ただし、途中で折れた枝が服に引っかかったようで、トムの視線に男の首がくるような形でぶら下がる借金男。

「よお、運が良かったな」

「ひ、ひひゃ……け、警察に訴えて……や、ややや、やる……」

静雄に顎を下から突き上げられたのか、どうやら顎は奇跡的に嵌っているようだ。

声を震わせながら静雄を訴えると呟く男の顔を見上げながら、トムは静かに問いかけた。

「なんて言って訴えるんだ？」

「……へ、へ？」

「……『ぼくが借りたいけないビデオを違法コピーして売ろうとしてたら怒られました。だから取り立て屋の一人を恐喝しようとしたら殴られました』ってか？　そりゃ面白い裁判になりそうだ。お前の父ちゃんや母ちゃんも傍聴人として来てくれるだろうよ」

「……っ！」

「まあ、そういう有名人になりたくない、っていう利口な判断するんだったら、割れた窓ガラス代ぐらいは弁償してやるよ」

耳を擦る己のドレッドヘアを掻き上げながら、トムは肩を竦めて呟いた。

「まあ、延滞料からさっ引くだけだけどな」

♂♀

10分後　池袋某所

「ったく、いつもいつも、死なねーからまだいいようなものを」

「……すんません、トムさん」

一つ前の取り立て場所から、池袋駅に向かう道中。

どうやら、トムが先刻の事について色々と説教をしているようだ。

「少しはこう、目の前で五百円玉を折り曲げて脅すとか、そういう平和的なやり方はできねぇのかよ。お前なら、指で千切るぐらいは簡単にできるんじゃねえか？」

「あー……でも、確か、硬貨を勝手に曲げたり伸ばしたりするのって法律違反っすよ」

「なに？　……そうか、それはまずいな。じゃあ別の手を考えるか」

妙な所で話が噛み合ったようで、二人で考え込みながら人混みの中を歩いていく。

「大体、さっきのバカもバカだ。静雄の事を知ってるのに喧嘩売るなんてよ……。つーか、なんかお前の事、幽の兄貴って事しか知らなかったみたいだな」

「……そうですね」

「そこらのチンピラなら、お前を見ただけで十分効果があるんだがな……。最近はそういうのを知らないような、一般人っぽい奴の中からさっきみたいなバカが出てくるもんなんだな……」

「……すんません」

神妙な顔で呟く静雄に、トムは不思議そうな顔をして振り返る。

「？　なんで静雄が謝んだよ」

「え……いや、でも、俺がもっとちゃんとできてりゃ……」

「そりゃ、さっきみたいなアホがいるって事とは全然別の話だろ。正直、さっきは説教しちまったが、お前はよくやってくれてるよ。こっちこそ、こんな危ねぇ仕事に付き合わせちまって悪いと思ってるぐらいなんだからよ」

再び前を向きながら、淡々と言い放つトム。

静雄はそんな上司の背中を見て、

「……ありがとうございます」

と呟いたのだが、どうにも自分自身に対して納得が行っていないようだった。

トムはそんな静雄の様子を見て溜息を吐き、腕時計を見ながら呟いた。

「ちと早いが、飯にするか」

「たまにゃ露西亜寿司で豪勢にいこうぜ」

♂♀

その女は、実に不機嫌だった。

悲しみと怒り、悔しさを混ぜ合わせた感情を煮詰め、その全てを無理やり心中に押し込んだ結果――彼女の顔に浮かぶのは、無表情に近い渋面だった。

だが、元から整った顔立ちという事もあり、どこか物憂げな表情にも感じられる。

そんな彼女の心中を知ってか知らずか、寿司屋のカウンター内にいた白人の店主が、女以上のしかめっ面をしながら声をあげる。

「おい、ヴァローナ。うちは客商売なんだからよ。そんなにムスっとした顔すんな」

「……否定します。私の顔面は愁眉に形作られてなどいません。通常通りです」

ヴァローナと呼ばれた女は、奇妙な日本語で答えを返す。

そんなやりとりを見て、テーブルを片付けていた黒人の巨漢が爽やかな笑顔で口を開く。

「オー、ダメねヴァローナ。そんな顔はよくない。御客様は神様ネ。神様ならきっと心広いネ。ホトケ様の顔が三度までなら、神様の顔はお百度参リヨ。エビス様にお百度参り、商売繁盛。

だからエビス顔になるとイイネ」

「不明瞭です。サーミヤの日本語は奇想天外につきます」

カウンター内の板前は『……お前が言うな』と呟いたが、ヴァローナはそれを黙殺し、仏頂面のまま目を逸らす。

「それに……相方を見殺しにした直後。そんな境地に達する、不可能です」

　ヴァローナは、フリーの何でも屋だ。

　日本に来てからというもの、様々な人間に雇われて多種多様な犯罪に手を染めてきた。

　特定人物の闇討ちから武器の密売、人攫いに至るまで——警察に捕まれば、恐らくは一生牢獄暮らしか、ロシアへ強制送還といった所だろう。

　彼女はスローンという相方と共に、この池袋でもいくつかの仕事をこなしていたのだが——粟楠会というヤクザに目をつけられた結果、スローンは両足を撃たれて何処かへと連れ去られた。生きているという希望は持たない方がいい。少なくとも彼女はそう判断していた。

　一方、自分は——。

　——……。

　そこで、彼女は気付く。

　自分の今の不機嫌の理由が、スローンを悼んでの事ではないという事に。

カウンター内の店主は、包丁を研ぎながらヴァローナに問いかける。

「そもそも、こうなる事は覚悟の上であんな真似してたんだろう。……大体、日本にくるまでに他にも三人いた仲間が死んでるらしいじゃねえか。その復讐をしないまま日本に来た奴が、今更その相方の復讐の為に暴れるなんて事は考えるなよ？」

「……死没する時が存在すれば、私が先。そう確信していました。……祖国の時は、私が女だからという理由で、愚かな敵の一人が油断。結果、私とスローンは生存」

独り言のように呟きながら、ヴァローナは静かに顔を俯かせる。

「今回は更に劣悪です。二人とも同時に死去すべき瞬間、私は父の七光りで生命を存続する事を許されました。……屈辱です」

実際、彼女の心はどうしようもないストレスに侵されつつあった。

仲間を失った事に対してではない。

そこまで他者の命を大事にするタイプなら、そもそも今回のような事件を起こしたりはしていないだろう。

彼女はただ、自分自身が許せなかったのだ。

——何もかも壊してしまいたい。

——自分自身も含めて。

つい数時間前——目が醒めた直後、そんな衝動に心が支配された。

もっとも、その衝動は、最初に暴れようとした瞬間にこの『露西亜寿司』の店員二人によって取り押さえられ、あっさりと霧散してしまったのだが。

『落ち着けよ。お前が粟楠会の連中に復讐を始めるのは勝手だが、店の中で暴れるな』

サイモンにあっさりと押さえ込まれた所を、デニスにそう諭された。

逆に、その一瞬のやり取りで彼女の衝動までも抑え込まれてしまった。

——『私は……弱いか？』

ロシア語でそうデニス達に尋ねたが、デニスには『ドラコンの旦那よりゃ弱い』、サイモンには『それを決めるのは俺達じゃないだろう』と言われ、その意味を考え始めた所で彼女は普段の冷静な心を取り戻していく。

『スローンの救出は可能か？』と、彼女は無理と知りつつ尋ねかけたが——当然ながら、感触の良い答えを聞く事はできなかった。そして、彼女自身もそれについては理解していた。

——「何もしてないからダメな事を考えるんだ」

デニス達はそう言って、彼女に店の仕事を手伝わせようとした。

ヴァローナは、そうした彼らの態度を別段冷たいとは思わなかった。

かつてリンギーリン大佐の元にいた時は、正式な仕事でも死人が出るのは日常茶飯事であり、

仲間の死を悼む暇はあっても、それは常に前に進みながらの事だった。

彼女は激情に任せて行動しても何の得もないと考え、とりあえず目の前の二人の言う事に従う事にしたのだが——。

——私がウエイトレスなど、馬鹿げてる。

女性用の制服を纏いながら、ヴァローナは店内を見回した。

自分の故郷の雰囲気を強く感じさせはするのだが、基本の内装が寿司屋の為にどうしても違和感がぬぐえない。

遠く離れた国でロシアを舞台にした映画などで見かける、間違ったロシアという印象だ。

——リンギーリン社長は喜びそうだが、ドラゴンは頭を抱えそうだ。

独特のセンスの店内で溜息を吐きつつ、店内で作業をしている二人のロシア人に目を向ける。

——……そもそも、この二人が、何故こんな事をしている？　デニスもサイモンも、こんな所に店を構えるなどどうかしているとしか思えない。

デニスとサイモンの事は、昔の記憶の中にしかない。

リンギーリンの武器商社に来る以前は、別々の経歴を持っているらしいのだが、数年前から唐突に日本にやってきた。

——たしかに、デニスはリンギーリン社長の元で荒稼ぎはしていたが……。

——こんな地価の高い場所に店を構えては、その蓄えも殆ど吐き出した事だろう。

――……。

――いや、詮索はやめよう。

今朝、取り押さえられて心を落ちつかせた後も、二人はヴァローナに詳しい事情などを聞こうとはしなかった。彼らがこちらを詮索しないのならば、こちらも無駄な詮索はしない方がいいだろう。

だが、そうした些事から気持ちを逸らすと、どうしても頭の中にはここ数日の記憶が蘇る。

――……私は……何をしているのだ。

自分は、人間の強さを確かめたいだけだった。

幼き頃からの、書物を読んだだけでは確認できなかった疑問。

彼女の持つ疑問は、いつしか生きる目的となっていた。

だが、この数日の間に思い知らされた事が一つある。

自分には――その事実を確かめる為の力など無いのかもしれない。

――私は、弱い。

それを思い知らされた。

黒バイクは本当の化け物なのでいい。

バーテン服の男こそ、自分が試すべき最高の価値のものだと思っていた。

だが、その夜、あの粟楠会の幹部の男にさえ手も足もでなかった。

——なら、私が今までしてきた事は……。

自分の快楽を、過去を、未来への希望までをも否定されたような気がして、そんな事を考える自分の心の弱さにも、スローン一人助ける事のできない物理的な弱さにも怒りを覚える。

そんな思いを抱えたまま、彼女は店に立ち続けた。

デニスには『とりあえず仕事は俺らのを見て勝手に盗め』と言われたものの、何をどう盗むべきなのか。そもそも、自分には客商売の経験など欠片もない。いくつかの客商売のコツなどは書物で読んだことがあるものの、ロシアと寿司の組み合わせの店など、現実でも書物でも見た事がない。

——それにしても。

店が開店してからずっと、彼女は一ヶ所に留まって店内の様子を見ていたのだが——来店する客の視線が、異様なまでにこちらに集まっている事に気が付いた。

——？

——外国人が珍しいのか？

——だが、デニスもサイモンも外国人だろうに。

彼女は、自分が女性だという事と、己の容姿については全く考慮に入れていなかった。常連客からすれば、いきなり店内に見慣れぬ女性店員が増えているのだ。初めて来る客にしても、グラマラスな外国人女性が仏頂面で仁王立ちしていたら、嫌でもそちらに気が向くことだろう。

すると、サイモンがまだ子供に見える男女の客に対し、妙な事を言い出した。

「オー、矢霧のボッチャン、あの子ガお気に入リ？　あの子、ヴァローナいう名前ネ。お持ち帰りOKよ。ボッチャン、恋人と愛人で両手に花ヨ。御飯は好きな人と一緒に食べる、美味しいヨ。一緒に寿司十人前お持ち帰りネ」

――……。

――持ち帰られるなど聞いていない。

――なるほど、この店はそういうサービスもしているのか？

――……客に腕を買われて、いつものような仕事をするのは構わないが……。

――体そのものを売るのは、まっぴら御免だ。

サイモンの日本語を冗談と受け取らなかったヴァローナは、やや顔を顰めながら口を開く。

「……否定します。私は自分の肉体を売買し御社の経営を助ける義務を負ってません。不買運動を請求します。ですが、その言葉が私に任務の依頼をするという意義であれば、肯定です」

「オー、これがジャパニーズセクハラ裁判ね。セクハラするのダメね、セクハラする子はハラキリよ。お腹切ったらもうお寿司食べられない、うちの家計が火の車ヨ」

サイモンは笑いながらそんな事を言っていたが、ヴァローナには意味が良く解らない。

それぞれが別のベクトルで奇妙な日本語であり、そんな掛け合いを聞かされる客は、苦笑したり首を傾げたり、それぞれ生ぬるい反応で食事を続けている。

そんな様子を観察し、良く解らないが、自分は恐らく客商売には向いていないのだろうと思い始めた頃――

「おい、ヴァローナ。裏口に集金が来たから、事務机の上にある白い封筒を渡しとけ」

「……」

「接客はできなくても、封筒に入った金を渡すぐらいはできるだろ」

「……肯定です」

言い返す事もできず、渋々と店の厨房を通って裏口の方に回るヴァローナ。

裏口の横にある事務室の机から厚みのある封筒を手にし、裏口の扉をあけるのだが――

「おや」

そこには、見覚えのある男が立っていた。

「……っ!」

瞬間的に身構え、男の股間に対して足を振り上げるヴァローナ。

「よっと」

男は足の間をせり上がってきた蹴りを片手で受け止め、そのまぐい、と前に押し倒す。

それと同時に軸足を払われ、ヴァローナは気付けばペタリと尻餅をついていた。

痛みが無いのは、男がそうなるように蹴り足を押す力を調整したからだろう。

「……っ」

――せめて、武器があれば……。

ここに来て、装備に頼る事しか打開策が思い浮かばない自分に腹を立てつつ――ヴァローナは、目の前に立つ柄スーツの男を睨み付けた。

「怖いねぇ。カニ代の集金がてら嬢ちゃんの様子を見に来てみりゃ、まさか直接出てくるとは思わなかったよ。まだ寝てると思ったんだけど、こりゃ、キャビア寿司はまたの機会の楽しみか」

「アカバヤシ……！」

「おや、もう名前を覚えてくれたのかい？　嬉しいねぇ。お嬢ちゃんみたいな別嬪さんに名前を覚えられるなんて」

ヘラヘラと笑う男――赤林は、隙だらけにも見える動きでヴァローナの手にしていた封筒を取り上げ、そのまま彼女に背を向ける。

「すまないねぇ。もうちょい相手してやってもいいんだけどさ、今から別のお嬢ちゃんのエスコートしなきゃいけないからさ、また今度にしてくんな」

「待機を要求します！　スローンは既に殺害が実行されているのですか！」

「おいおい、勘弁してくれよ。殺害なんて誰かに聞こえたらどうすんだい」

慌てて振り返り、赤林は肩を竦めながら答えを返した。

「まあ、あいつが埋められるか助かるかは、あいつ次第かねぇ」

「……？」

「落とし前をつけるのは確かなんだけどさ。幹彌さんも青崎もどっちかっつーと合理主義者でねぇ。ケジメにこだわって始末するか、手駒として使えるか値踏みしてる最中だろうよ」

手にした杖で己の肩をリズミカルに叩きつつ、赤林は尻餅をついたままのヴァローナに再び背を向けて歩き出した。

「最終的に判断下すのは会長だと思うけどさ。ま、奴があんたらの雇い主……澱切っていうオッサンの情報でもキビキビ話すなら、その天秤がちょいと良い方向に傾くかもねぇ」

「……」

スローン生存の可能性を喜ぶべきか、それとも、今からでも武器を調達して粟楠会に闘いを挑んでスローンを救出するべきなのか。

赤林の言葉にどう反応していいのか、それすら解らぬまま、ヴァローナは漫然と時を過ごす。

どれほどの時間が経ったろうか。

赤林が去った方向を睨み続けていたヴァローナの背中から、陽気な声がかけられる。

「おー、ここにいたネ。どうした、おなか痛いカ？」

「……否定です。心配は無益です」

何事も無かったように立ち上がるヴァローナに、サイモンは肩を竦めながら問いかける。

「アカバヤシと喧嘩でもしたカ？　喧嘩良くない、お腹空くだけヨ。それにアカバヤシ、うちに安いカニ持ってきてくれるネ。アカバヤシ怒らせたらカニも高くなってお客さんも私達もますますお腹ペコペコね」

「そのカニは密輪品なのではありませんか？」

「うちに仕入れるのは国産品言ってたネ。どこの国とは言ってなかったケド」

「……」

釈然とはしなかったものの、サイモンの声で自分を取り戻し、彼女は店の方に戻る事にした。

戻るまでの短い間に、彼女の心中には暗い思いが湧き上がる。

――もう……。全てが終わりか。

――自分は、仲間を何人も見殺しにしてここに来たというのに……。

――縁を切り、裏切った筈の父やリンギーリン社長に救われるなんて……。

――彼らはどんな目で私を見ているのだろう。蔑みだろうか、それとも憐れみか。

――もう、私には生きる意味すらないのかもしれない……。

立て続けの敗北に続いて、先刻の赤林の言葉で『スローンの仇討ち』というモチベーションすら奪われてしまった。

——いや、そんなのは言い訳か。

——私はそもそも、スローンがやられた事より、自分自身のふがいなさに腹を立てているのだから。

——私は、これから一体何をすれば……。

そんな事を考えながら、厨房を通って店内に顔を出すと——

先刻まで子供のカップルが座っていたカウンターに、男が二人座っている。

その内一人は、見覚えのある顔だった。

顔というよりも、その出で立ちに見覚えがありすぎた。

『彼』の特徴は、日本人の顔の見分けがつきにくいヴァローナにとっても分かり易すぎる特徴だったのだから。

何しろその男は、バーテン服を纏った上に、金髪でサングラスをかけていたのだから。

「まあ、お前も幽も有名になり過ぎちまったからなあ、さっきみたいな奴が出てくるのもしょうがないっつーか、最初から覚悟はしておいた方がいいぜ」

「……はい」

「お前もなりたくて有名になったわけじゃないってのは解るけどよ。やっぱりそこらへんを前もって覚悟しとくだけで、大分違うと思うぜ」

「そうっすね……」

露西亜寿司にやってきたトムと静雄は、頼んだ刺身盛りを待つ間に先刻の会話の続きを行っていたのだが——

「そういやお前、昨日の闇医者の先生に礼は言ったのか？」

「……あ、いや、まだですけど」

「そいつぁよくねえよ。あんだけ世話になったんだから、昔馴染みだろうがなんだろうが礼だけは言っておいた方がいいぜ」

「そうっすね。色々あってウッカリしてました」

トムに言われて、静雄は自らの携帯を取り出し、知り合いの闇医者へと電話をかける。

「……。おう、新羅か。昨日はすまなかった。改めて礼を言おうと思ってよ。……あん？　ああ。……そうか、じゃあまた電話するわ」

繋がったそのまま店の外に出ようとしていた静雄だが、浮かせた腰を下ろしながら電話を切る。

「どうした？」

「いや、忙しいみたいで、また明日にって。……なんだか泣きそうな声してましたけど」

「ふうん？　まあ、焦る事ぁねえさ、ゆっくりと……おっ？」

店の奥から現れた女を見て、トムは思わず言葉を止める。

「なんかあの姉(ねえ)ちゃん、すげえこっちの事見てるぞ」

「……ほんとだ。ていうか、今まであんな店員いませんでしたよね」

口をパクパクとさせながらこちらを見ている白人女性を見て、トムはカウンター内の店主に問いかけた。

「なんだよー、大将(たいしょう)、いつのまにあんな綺麗(きれい)なネーちゃん雇(やと)ったんだよ。やっぱりロシア人？」

「まあな。まだ見学段階だ。おしぼり一つ運べねえから、ロシアの置物だとでも思ってくれ」

ぶっきらぼうに答える店主に、トムは笑いながら尋ね続ける。

「魅力的(みりょく)ですね、っていうのは、ロシア語で何て言うんだ、大将」

「……。Вы(ヴィ) очаровательны(アチェラヴァーチリヌイ)」

「びー、あちぇらばーてんねん、か」

トムはそのまま、ロシア人らしき女性に声をかける。

「ヘイ、びー、あちぇらばーてんねん」

だが、それを聞いた白人女性は、訝(いぶか)しげな目でトムを見つめ、カウンターの中にいる店主に声をかける。

「……彼は何を言っているのですか？　不明瞭(ふめいりょう)です。日本の言語なのか疑問です」

すると、店主は苦笑しながら首を振り、女性に向かって語りかける。

「Вы очаровательны」

「……何故、突然そのような社交辞令を口にするのか、理由を簡潔に述べて下さい」

「今、そこの兄ちゃんがお前に対してそう言ったんだよ」

「如何なる国の言語でですか？」

そんな会話を聞き、トムは首を傾げながら横にいた静雄に話しかけた。

「……俺の今の発音、そんなに違ってたか？」

「いや、違いとか良く解らなかったっすけど、やっぱり本場の人が聞くと違うんじゃないすか」

「恥ずかしい事しちまったなあ」

顔を赤らめながら茶を啜るトムの前に、カウンターから刺身の盛り合わせが差し出された。

箸を刺身に伸ばしながら、トムはチラチラと先刻の女性の方を見るが――

「……なんか、あの姉ちゃん、俺らの方を睨んでねえか？」

一瞬言うのを躊躇ったが、流石に静雄も女性に『なにガン飛ばしてんだ』と切れる程バカではないというのは解っていたので、トムは小声でそう話しかけた。

「そうっすか？　うお、辛ぇ」

茎わさびをふんだんに使用した涙巻きを食べ、涙ぐんでいる静雄。

涙でにじんで周囲が見えないのか、特に女性の方にも視線を向けたりはしていない。

「トムさんが変な口説き方するからでしょう」

「そうかな……やっぱそうか」

溜息を吐きながらハマチに手をつけるトムに、カウンターから店主が声をかけてくる。

「……そういや、前に人手が足りねえっつってたよな」

「え？　ああ、まあ、最近は踏み倒す奴も多くなってきてて、俺と静雄だけじゃ辛いってのも確かっすねー」

苦笑しながら答えるトムに、店主は『そうか』と頷き——

女性の方をチラリと見ながら、とんでもない事を口にした。

「じゃあよ、あそこの置物、使ってみる気はねぇか？」

♂♀

池袋某所　道場前

雑司ヶ谷霊園の側にある、様々なマンションや一戸建て、工場などが並ぶ区画。

その一角にあるビルの前で、不釣り合いな二人が会話を紡ぐ。

「じゃあ、まあ、今日は挨拶だけだから。気にいらなきゃ言ってくれればいいよ」

「う、うん」
男——赤林の横では、やや緊張した面持ちの少女——粟楠茜が、私服姿で佇んでいる。

茜は、強くなりたかった。

ここ数日間、茜は普通の小学生では——いや、大人ですら滅多に経験しないような出来事に巻き込まれた。

もっとも、巻き込まれたというよりは、自らもその渦を巻き起こす力の一つだったのだが。

数日振りに家に帰った直後、母に泣きながら抱きしめられ、その後暫く説教された。

だが、その説教の最中にも『本当に無事で良かった……』と何度か泣かれてしまったので、茜としては怒られているというより、母に対して申し訳無いという気持ちで一杯となった。

その一方で、茜の胸中には複雑な思いがある。

平和島静雄。

自分が殺そうとしている大人であり、自分を助けてくれた大人。

彼に対する感情は、茜自身にも既にわけが解らなくなっていた。

茜が静雄の手によって救われたのは事実だが——彼を殺すべきなのかどうか、いまだに茜の中で答えは出ていない。

出ていなければおかしい答えも、今の茜には判断できない。

自分の信じていた世界が、全て自分の背後にある『栗楠』という名に怯えた者達による偽りで作られていた。その事実を知り、自分の世界を粉々に壊されたばかりの少女。

そこに差し込まれた楔は、少女に世界を再構築する事を許さない。

壊れかけていた少女に、追い打ちをかけるように起こった誘拐劇。

更には、首無しライダーに首無し馬という、現実には存在しえない筈の者達との出会い。

それは、バラバラに砕かれていた少女の世界を、泥のように溶かしてしまうには十分な出来事だった。

結果として——少女は、いまだにどこかが壊れたままなのである。

この日の朝、わざわざ父に呼び出して貰った赤林に、まず彼女が言った事は——

「どうしたら、ころしあいに強くなれますか？」

すると、父の部下である男は、やや驚いたような表情を見せ、すぐにその驚きを苦笑に変えながら問いかけた。

「なんだい、誰か、嫌いな奴でもいるのかい？」

「ううん。そうじゃないけど……でも、その人を殺さないといけないの」

「……そいつは物騒だねぇ。いったいそりゃ、誰なんだい？」

「……いえない」

首を横に振る茜に、赤林は怒りもせず、困った様子もみせず、ただ笑いながら問いかける。

「どうして」

「言ったら、赤林さん達が、その人をやっつけにいっちゃうでしょう？」

「それじゃ、困るのかい？」

当然といえば当然の問いに、茜はコクリと頷いた。

「その人は、いい人なの。だけど、殺さなきゃいけないの」

どうにも要領を得ない答えだが、赤林は根気よく問い続ける。

「お嬢ちゃんは、その人に死んで欲しいのかい？」

「そんなことない。殺したくなんかない」

「……じゃあ、なんでまた？」

「殺さないと、大事な人がその人に殺されちゃうかもしれないって……」

「誰がそんな事を言ったんだい？」

「……ごめんなさい」

哀しそうな目をして頭を下げる。

それだけで『答えられない』という意思を察したのか、赤林は別の方向から問いかける。

「その人が、嘘を言ってるかもしれないだろう？」

「……わからない」

「殺さなきゃいけない相手は、さっき、なんだ、いい人だっていったけどさ……それは、確かなのかい？」

「……わからない」

茜は再び首を振る。

だが、それは逃避の為の否定ではなかった。

「いま、私は、わからないの。みんな、みんな、友達も……友達のお母さんも……先生も……お父さんも……みんなみんな、うそをついてたから……。赤林さんも、本当に信じられる人かどうかわからないの……」

「……」

「だから、私は、あの人がいい人だって信じてるけど、でも、そんな自分も信じられなくて……えと、あれ、えーと……」

自分でも整理がついていないのだろう。茜は泣きそうな顔になって俯くが、それでも言葉だけは吐き出し続ける。

「でも、だめなの。つよくなきゃ、ダメなの」

「どうしてだい」

「もしも、その人が悪い人だったとしたら……。私が弱かったら、すぐにやられちゃうだけだから。悪い人だったらどうしようって、悩む事もできないと思うから……。だけど、お父さん達にも相談できない。お父さん達は、ヤクザ屋さんなんでしょう？　そしたら、その人がいい人か悪い人か解る前に、その人が死んじゃうかもしれないから……」

「……驚いたねぇ。今日びの小学生は、みんな嬢ちゃんみたいに大人びた考えなのかい？」

心底感嘆するように呟いた赤林は、暫く考え込んだ後、ヘラリと笑いながら呟いた。

「ま、解るっちゃ解るよ。もし本当に相手が悪かった場合、止めるにしろなんにしろ、まずはそいつより強くなきゃ話にもならねぇからねぇ。それに、嬢ちゃんはその齢で……ま、おいちゃん達も白黒ハッキリする前に人を殺しちまう程に短気じゃあねぇと思いたいけど……」

自虐的に肩を竦めつつ、赤林は茜に一つの提案を持ちかけた。

「まあ、あれだよ。別にね、殺し屋とかが相手だからって、こっちも『殺し合い』が強くなきゃいけないって決まりはないんだよ」

「えっ？」

「護身術、っていうんだけどねぇ。悪い人を殺したりするんじゃなくて、自分や、茜ちゃんの大事な人を守る為に強くなるっていう方法もあるんだよ」

そして、数時間後――

赤林に連れられるまま、茜はこのビルの前にまでやってきたのだ。

ビルには『トラウゴット・ガイセンデルファー所属　楽影ジム』という看板が掲げられており、入口横の壁には、屈強そうな外国人のポスターが貼ってある。

「所属っつっても、このトラウゴットっておっちゃんは色んな所の格闘技を齧ってるからねえ。ここもその一つなんだけど、勝手に所属って宣伝文句にしてるだけさ。向こうもそれで文句はないみたいだけどねぇ」

「ふうん？」

茜の返事は、どこか心ここにあらずって感じだ。

赤林の言っている事が良く解らない以前に、彼女の心は強い不安に囚われていたからだ。

初めて来る場所、初めて出会うであろう人々。

そうした新しい環境への不安もあるのだろうが――それ以前に、彼女にとって最大の不安は、こうした新しい環境でも、今までと同じように、みんな自分に対して偽りの顔しか見せないのではないだろうか。『粟楠会』という影に怯えてしまうのではないだろうか。あるいは憎まれてしまうのではないだろうか。

大人びた思考から湧き上がる不安を、子供の心で受け止める茜。

体が震えて、やっぱり止める、と声に出すべきかどうか迷っていた時――

二人の背後から、無邪気な少女の声が響き渡る。

「あーっ。栗楠会の極道者が、小さい子を誘拐してるのみーっけ！」

「!?」

栗楠会という単語に、茜は思わず体を震わせる。

だが、同時に奇妙な事にも気付く。

その少女の声は、栗楠会という単語を使っているのにも関わらず、あまりにも明るすぎた。

茜が恐る恐る振り返るのと同時に、赤林が苦笑混じりに口を開く。

「参ったねぇ。マイルの嬢ちゃん。俺がそんな悪人に見えるってのかい」

「だって、赤林のおっちゃん、これでもかってぐらいアヤシー外見してるじゃん！」

「参ったねぇー」

ヘラヘラと笑う赤林の前で、ケラケラと笑う少女。

茜より5～6歳年上と思しき、お下げ髪に眼鏡という出で立ちだが、その外見とは裏腹に快活なイメージを持ち合わせている。

胴衣らしきものを背負っており、どうやらここのジムに通っているらしい。

「実はね、この子、茜ちゃんっていうんだけどさ。うちの会長の孫なんだよ」

「えっ！　じゃあ、将来この子、姐さんって奴になるの!?」

「……！　……！」

ジムでは隠し通すべきではないかと思っていた事項が、赤林の口からあっさりと打ち明けられてしまった茜。

アワアワと口を震わせ、何をしていいのか解らぬまま赤林の背中をポカポカと叩く。

そんな茜の様子を見て、マイルと呼ばれていた少女は、茜に一歩近づき——

「あっはっは、そういう時は、いきなり金的狙った方がいいよ！」

と言って、赤林の股間めがけてシャープな蹴りを叩き込もうとした。

「危ねぇっ」

赤林はすんでの所でその蹴りを躱し、笑いながら身を引いた。

「ったく、一日二回も女の子に股ぁ蹴り上げられるのは初めてだぜ」

「あー、これで二回目ってことは、さては朝にでも女の子泣かせたなー。やっぱ悪党じゃん！」

マイルは屈託の無い笑顔を浮かべた後、再び茜に向き直って、堂々と言い放った。

「ま、いいや。とにかく、君は私の後輩だねっ！　私の言う事をなんでも聞くなら、特別に子分にしてあげるし、私直伝の超奥義、画鋲スペシャルを教えてあげるよ！」

「名前も修得条件も安い奥義だこと」

「赤林さんは黙ってて！」

一方的に喋るマイルに対して、茜は何も言えずにいた。『粟楠会の会長の孫』と知った上でこのような物言いをする人間が、茜の目にはとても新鮮に映る。

「まあ、どっちみち貴女は私の妹弟子なんだから、困った事があったらお姉ちゃんになんでも聞いてね！　じゃ、さっそく師匠を紹介するから、おいでよ！」

「ああ、じゃあ、館長に話は通してあるから、後は頼まぁな。ああ、おいちゃんのオススメは棒術だけど、まあ、一通り基礎を習った方がいいと思うよ。帰りは茜ちゃんのお父さんに電話すりゃ、迎えを寄越してくれるそうだから安心しな」

「あ、あの、えっ？」

余りにも急な流れに頭がついていけず、茜は手を振る赤林に御礼を言う事もできぬまま、マイルという少女に引きずられる形でビルの中へと入っていった。

自分の想像と全く違う展開に、心の奥に何か熱い揺らめきを感じながら。

♂♀

池袋　某マンション

「……社長もまあ、二つ返事でOKだしちゃって、なーに考えてんだか」

ぶつぶつと呟きながら、トムは古びたマンションの階段を上がっていく。

いつも通り、これからこのマンションの四階に住む男から、踏み倒している料金の取り立てなのだが——普段と違い、静雄の後ろにもう一人の助手が控えている状態だ。

「疑問を呈示します。私達の集団が行う仕事の内容、まだ詳細を耳にしていません」

おかしな日本語で尋ねてくるのは、ヴァローナという名の白人女性。

露西亜寿司の店主に『客商売でこの無愛想じゃきついんでな。お前らの所で使ってやってくれ。社長には俺からも電話してやるから』と言われ、現在のような状況となったのだ。

——俺はまた、会社の事務作業とかに使うのかなーと思ってたんだが……。

——取り立てかよ！

女性の取り立て人など、トムのイメージではアパートの大家や、飲み屋のママがツケの回収にいくぐらいのものだと思っていたのだが、まさか自分の同僚としてついてくる女性など想像していなかった。

現在、ヴァローナは私服に着替えているのだが、意識しているのかいないのか、浮き上がるボディラインがなんとも言えずに艶めかしい。

——あーあー、色っぽい姉ちゃんと一緒っつやー幸せに聞こえるけどよ……。

当の女は仏頂面で、男に心を開くというイメージは全く無い。

そんな事を考えつつ、トムはヴァローナの問いに答えを返す。

「えーと。払わなきゃいけない金を払わない悪い人からお金を回収する。ＯＫ？」

相手の日本語が怪しい事から、できるだけ分かり易い単語を使うトム。

ヴァローナはその説明に納得したのか、コクリと頷きながら尋ねかける。

「ミカジメ料金の徴収。了解しました」

「いや、みかじめ料とは違うんだけどよ……まあいいか」

――大丈夫かな、マジで。

女がいるという事で舐められないだろうか。

トムは女性を軽視するつもりはないが、これから金を取り立てる人間達までそうであるとは限らない。

いや、舐められる事はいいのだが、相手がついでとばかりに静雄まで舐めて、その結果としてキレた静雄が相手を殺してしまうという結果だけは何としても避けねばならない。

――それにしてもこの姉ちゃん、さっきからずっと静雄ばっか睨んでるような気がすんだけど、気のせいか？

当の静雄は、何か気になる事でもあるのか、先刻からずっと腕組みをしながら考え事をしているようだ。もしかしたら、静雄も睨まれる心当たりがないか思い出そうとしているのかもしれない。

トムがそんな事を考えた所で、彼らは目的の部屋に辿り着く。

試しにチャイムを押すと、中からあっさりと鍵の開く音が聞こえてきた。

そして、開かれたドアからパンチパーマをかけた男が顔を出す。

「……誰だ、手前ら」

「はいはい、出会い系サイト『アルケニー』の関係者って言えば解るよね」

淡々と呟かれるトムの言葉に、パンチパーマの男は顔面を一瞬硬直させる。

「……っ！　知らねぇな」

「はいはい、君が知らなくても、君の携帯番号から、もう十七万円分使われちゃってるんだよ。正式な契約に基づくあれだから、本当は弁護士に回収して貰うんだけど、お互いにそんな事になったら面倒だってのは解るよねぇ」

「うるせぇ！　わけわかんねぇ事言ってるとぶち殺すぞ！」

「今のが『わけわかんない』って言われると、あとは通訳呼ぶしかないんだけどな」

トムが呆れながら呟くと、パンチパーマの男は顔面に下卑た笑みを貼り付けた。

「いいぜ……通訳を呼んでやるよ」

「あん？」

「おい！　おめえら！」

男が部屋の奥に声を掛けると、玄関口にどやどやと数人の男達が現れた。

明らかにチンピラといった風体の男達が、トム達と相対するような形でマンションの廊下に立ち塞がる。

雰囲気からして、本職ではなさそうだ。トムの長年の勘がそう告げている。

パンチパーマの男は勝ち誇った顔で、トム達を見渡しつつ警告する。

「で、何を通訳して欲しいって？　そこの姉ちゃんを俺達にサービスしてくれるって話かぁ？」

――やれやれ。

トムは溜息を吐き出しながら考える。

――いつもなら静雄がぶち切れて終わりってとこだが、今日は新入りのヴァローナの嬢ちゃんもいるし、引き下がるか。

そんな事を考え、トムはヴァローナの方を振り返ったのだが――

――素直に帰してくれねえってんなら、なんとか嬢ちゃんだけは逃がし……て……？

――あれ？

先刻まで静雄の後ろにいたヴァローナの姿が消えているではないか。

「あん？　なんだ、姉ちゃ……ゴっ!?」

背後から、パンチパーマ男の悲鳴が聞こえてくる。

――は？

声の響いた方に振り返る直前、トムは静雄が目を丸くしているのを見た。

そして、振り返り終わった所で、トムも目を丸くする。

「なっ」「ちょっ……てめっ……あっ⁉」「ギっ⁉」「うぁっ⁉」

視線の先に映るのは、男達の中心で動き回るヴァローナと、その周囲で次々とうめき声をあげて倒れていく男達の姿だった。

まるで、アクションゲームのワンシーンを見ているかのようだった。

ヴァローナの容姿も相まって、鮮やか、という言葉が実に似合う光景だった。

流れるような動きで男達の顎や喉に自らの肘や爪先をヒットさせ、次々と男達の意識を奪い去っていく。

そして、彼女は気絶して動かなくなった男達の懐やポケットを探り、いくつかの財布を取り出してトムに差し出し、鮮やかというには程遠い日本語を吐き出した。

「徴収する正確な金額を御教授下さい。不足の場合、家宅捜索も行いますか？」

♂♀

そんな状況に、トムと静雄が顔を見合わせている間にも——

街の中を、噂は駆け巡り続ける。

「おい、見たか」

「静雄が」

「平和島静雄がいた」

「女連れだったぞ」

「大怪我ってのは嘘か？」

「わからねえ」

「だが、女は本当にいた」

「相方のドレッドヘアの連れじゃねえのか？」

「いや、街中で見たけどよ」

「いい女だったけど」

「歩きながら……ずっと静雄の方を見てたぜ」

♂♀

数時間後　池袋　鬼子母神堂前

「ったく、サイモンや寿司屋の大将の知り合いって時点で、想像しとくべきだったが……」

あの後も何件か取り立てに行ったのだが、その誰もがヴァローナに助平根性を出して手を出そうとしたり、あるいは脅し掛かったりしたため――静雄が激怒するよりも先に、ヴァローナが暴れて相手をKOするという事態が続いていた。

「後始末するこっちの身にもなってくれよなあ……」

「？　後始末、すなわち、死体にして処理せよという事ですか。東京湾に沈下させる、日本のスタンダードと聞きました」

「そんなスタンダードはねえ。静雄もなんとか言ってやれよ」

「……いや、俺が何か言えた義理もないんで」

そんな会話を紡ぎながら、彼らは鬼子母神が祀られている、とあるお堂にやってきた。

傍にある都電の駅から降り、そのまま歩いて池袋駅方面へと向かう途中である。

次の『仕事場』はこのすぐ近所なのだが、その前に一旦休憩しようという事で、この鬼子母神堂の前にやってきたのだ。

住宅街の真ん中にある閑静な土地だが、開けた境内には無数の木が植えられており、赤みを帯び始めた太陽の光が葉の間からこぼれ落ち、都会のオアシスとして人々に癒しを与えている。

そこでしばし体を休めるトム達だったが、なんとも言えぬ空気が三人を包み込む。

何を話していいのか解らず、トムが思案を続けていると――彼にとっては意外な事に、静雄が自分から声をあげ、ヴァローナに対して話しかけた。

「あんた、ずいぶん強いみたいだけどよ。格闘技かなんかやってるのか」

「……」

複雑な表情で静雄を見返すヴァローナ。その奥にある表情以上に複雑な感情は、事情を知らぬトムには解らない。

暫く沈黙していたが、ヴァローナは一旦深い息を吐いてから答えを返す。

「色々と、初歩の初歩だけ学習してきました。幼少の時期は書物で。思春期から実戦をかねて。デニスとサーミャ……貴方達がサイモンと呼ぶ人物からは、護身術程度の事は学びました」

「あの二人か……。子供の頃からってことは、親父さんとかも格闘技を？」

「……父はシステマという格闘技の熟練者でしたが、私はシステマだけは学習しませんでした。……理由は、父への反抗心に類するものです。追及しないで頂けると助かります」

「そうか。じゃあ聞かないどくわ。どっちにしろ、あんたはスゴイと思うぜ」

「……貴方に言われると、滑稽なジョークにしか聞こえません」

ヴァローナの言葉に、静雄よりも先にトムが反応した。

「ん……？　なんだよ嬢ちゃん、静雄の事を知ってるのか？」

「……池袋にいれば、嫌でも噂は耳にします」

彼女はここで嘘をついた。

自分が静雄の強さを知ったのは、実際昨日目にした瞬間からだ。

フルフェイスのヘルメットを被り、殆ど会話もしていないため、静雄はこちらには気付いていないようだ。

バーテン服の男について、ヴァローナは過去にも噂程度は聞いた事はあったかもしれない。

だが、自動販売機を片手で投げるなど、冗談として聞き流していたのだろう。

しかし、昨日はたっぷりとその強さを実感した。実感させられた。

──この男なら。

ヴァローナはその瞬間の事を思い出す。

乗用車を蹴り転がすという、常識の全てを覆すような光景を。

──この男なら、自分に証明してくれると思ったのに。

──人間が本当に脆い存在なのかどうか、その答えに終止符を打ってくれると思ったのに。

だが、その時に覚えた興奮は、僅か一晩の間で完全に消沈してしまっていた。

──肝心の私の方に、その資格がなかったなんて。

──私は……弱い。

──鉄が硬いか脆いか確かめるのに、粘土を叩きつけても意味などないのだ。

──今まで私が壊してきた人間は……たまたま粘土より弱かっただけだ。

それはそれで暴論としか言えない事を考えつつ、ヴァローナは再び静雄を睨み付ける。

彼が憎いわけではない。その眼光に籠められた感情は、全て自分自身に向けられたものだ。

一方、静雄は自分が睨まれている事も気付かず、境内から見える空を眺めながら呟いた。

「俺についてどんな噂を聞いてるのかしらねえが、俺はあんたの方がスゴイと思うぜ」

「……何を言っているのか不明瞭です」

「俺は、たまたま腕力があるだけでよ。こんなもん、人が強いだの弱いだのとは関係ねえだろ。寧ろ、あんたみたいに自分を鍛えて鍛えて強くなろうとしてる奴らの方が、俺からすりゃよっぽど強い人間でよ、尊敬に値するぜ」

「……」

——私の方が凄い？

——何を言っているのだ？

——いや、きっと何かの聞き違いだろう。

黙り込むヴァローナの代わりに、トムが声をかける。

「そういやお前、格闘家を尊敬してるつってたな。ほら、誰だっけ……」

「トラウゴット・ガイセンデルファー。あいつはすごい奴っすよ」

「ったく、おかしな話だぜ。俺らから見りゃ静雄の方がスゴいんだけどな。大体お前、やろうと思えば重量挙げで金メダルを取ることだって簡単だろうによ。金メダルをたくさんとったら……あれ、金メダルって純金なんだっけか」

「……オリンピックに使われている金メダルは、その全てが純金ではありません。経済状態が悪い国が開催する事を考慮。純度92・5％以上の銀に、6グラム分の純金をコーティングしてあります。純金なのは、1980年までのノーベル賞のメダル。現在はノーベル賞も、純度75％の金に純金をコーティングしたものです」

トムの疑問に答えたのは、ヴァローナだった。

話を逸らせる為に答えた彼女だが、スラスラと答えるその様子に、トムが驚きの声をあげる。

「……いま、なんか嬢ちゃんのスゴイ面を見た気がするぞ」

「なんでノーベル賞も純金じゃなくなったんだ？　金がないのか？」

静雄の問いに、ヴァローナはスローンの事を思い出し、やや心が揺れたのだが――それでも、いつもの習慣からか、尋ねられた疑問にはついつい答えてしまう。

「ノーベル賞、資金はあります。ただ、純金のメダル、柔軟に過ぎます。歯で噛んだだけで跡が付きます。ちょっとした事故で傷、変形、オンパレード。合金とすることで、変形防ぎます」

「おおー、そうだったのか……」

「強い上に博識で美人かよ。なんでもありだな」

トムが半分呆れたように笑うのだが、ヴァローナはその言葉に心を曇らせる。

「……否定します。私は美人でも博識でも、ましてや強くなども――――」

自分自身に言い聞かせる為の言葉だったのだが、それは途中で掻き消された。

境内への入口から聞こえてきた、無邪気すぎる少女の大声によって。

「あーっ！　しーずーおーさーん！　元気してたーっ？」

三人が目を向けると、そこには背に道着らしきものを担いだ、オサゲ眼鏡の少女がたっていた。その後ろには、同じ顔をした暗い表情の少女と、5~6歳程年下と思しき少女が連れ添っている。

その一団を見て、静雄はやや驚いたように声をあげる。

「マイルにクルリじゃねえか……って、アカネ!?」

双子の少女の陰に隠れるように立っていた、まだ小学生ぐらいの少女は――静雄の姿を確認するなり、とてとてと走ってきてその体に飛び込んだ。

「静雄お兄ちゃん！」

♂♀

「おい、俺だ、聞いてくれ」

「今、静雄を遠くから見張ってたんだけどよ！」

「あの噂はマジだった！」

「小学生ぐらいのガキが、静雄にかけよって行って、なんか抱きついたぞ！」

「マジか」

「静雄のガキかよ」

「女だけじゃなくて、ガキもマジだったのかよ！」

そんな噂が、電撃のように、特殊な人間達の間を駆け巡る。
携帯電話やネットという媒体が、リアルタイムで噂の姿を形作り――それを追っていた男達を病的なまでに興奮させる。
「今、こっちにすぐ来れる奴何人ぐらいいる……？」

願望混じりの噂が真実だった。

実際は真実でもなんでもないのだが、彼らは真実だと信じ込んだ。

真実でなければ困るのだから、それ以外の可能性など考慮しない。

興奮はやがて彼らの体を駆り立て、通常では考えられない程の行動力を発揮させる。

例えそれが、どのような目的であろうとも。

「どうなるかわからねえが、十ぐらいでいいから人数集めて車回せ」

「あの女どもが静雄から離れたら、そのまま攫っちまおうぜ」

♂♀

——何故、粟楠茜がここに？

ヴァローナは心中で狼狽し、静かに周囲を見渡した。

粟楠会の人間達がいるのではないかと疑ったからである。

——ムダか。

見張っている可能性は十分にあるが、簡単に姿を見せる事はあるまい。

何の装備も持ち合わせていない今の状況で、あのアカバヤシクラスの人間が出てくればどうしようもない。

――……いや。

――話はもうついているんだった。

――今から、私がこのアカネに手を出したりしない限りは、栗楠会も何もしてはこないだろう。……もっとも、栗楠会がどこまで取引に誠実なのかは解らないから、油断するわけにはいかないが。

――どちらにせよ……父から与えられた安穏に浸かる気はない。

そんな事を考えるヴァローナの前で、三人の少女達が姦しい声をあげている。

もっとも、その姦しさの大半は眼鏡の少女によるものだったのだが。

「ねえねえ！　そこの綺麗なお姉さん誰⁉　抱きついてもいい⁉」

「やめとけ」

背中の襟を静雄に持ち上げられ、猫背で宙に浮くおさげ髪の少女。

一方では、トムに対して暗い顔の少女が頭をペコペコ下げている。

「……先（この前は）……巾（お金入れる袋）…………謝（ありがとうございました）…………」

「ああ、いいっていいって」

「今朝も三十万円ぐらい貰ったから、あの袋に入れて持って帰ったんだよね、クル姉！」

「三十ま……っ⁉」

その言葉に驚愕し、トムは少女達の肩をポンと叩きながら、神妙な顔で告げる。

「いや……俺もあんまり言える立場じゃねえけどよ……。親御さんを泣かせるような事だけはしちゃダメだぞ、お前ら。嬢ちゃん達は可愛いんだからよ。そんな安売りするもんじゃねえよ。いや三十万は安くねえけど、本当は値段なんかつけちゃいけない事で……」

「？」「？」

勘違いしたまま説教を続けるトムの前で、不思議そうに顔を見合わせる双子の少女。

茜はそんな二人を余所に、静雄のズボンをきゅっと握ったまま、静雄の顔を見上げて笑っていた。

「静雄お兄ちゃん、昨日は、本当にありがとう……！」

「ん？　ああ、もう気にすんなって。ガキは恩ぐらいすぐに忘れる方が可愛いんだよ」

苦笑しながら、茜の頭をわしわし撫でる静雄。

キャアキャアと笑って静雄の手を押さえる少女を見て、ヴァローナは考える。

——暢気なものだ。昨日我々に攫われたばかりだというのに。

——……いや、それをすぐに乗り越えられるほどに強い、という事か。

——やはり……弱いのは私なのか……。

落ち込むヴァローナを余所に、静雄は双子の少女にも声をかける。

「つーかよ、なんでお前らが茜と一緒にいるんだよ」

「えー、私達からすれば、静雄さんが茜ちゃんと知り合いだったことに驚きだよ！　今日、この子、私の通ってる道場の後輩になったんだよ！　とりあえず今日の分の私の稽古は終わったから、迎えにきたクル姉と一緒に道場の周りを色々案内してたの！」

「ほー、マイルの道場ってことは護身術か。そうだな、習っといて損はねえかもな」

「そ、そうかな？　じゃあ、私、頑張る」

静雄の言葉に微笑む茜。

一方、静雄は何かを思い出したのか、やや笑みを薄れさせながら双子の少女に別の事を尋ねかけた。

「そういやよぉ……お前らの兄貴のノミ蟲はどうした」

「……驚……？」

「あれ、静雄さん、テレビのニュースとか見てない？」

「ん……？　いや、今朝は早くから取り立てに回ってたからよ。なんか面白いニュースでもあったのか？　あいつがとうとう捕まったとか」

「秘密秘密。帰ってから新聞とかネットのニュース探してみたら、きっと驚くよ！」

「……兄……助……」

「？」

それはどういう事なのかと、静雄はつっこんで尋ねようとしたのだが——

「あ、静雄、そろそろ例の家に取り立てにいかねえと」

「うす」

トムの声を聞き、気持ちを仕事に切り替える。

「今回は取り立ての家に奥さんも子供もいて微妙だからよ、ヴァローナの嬢ちゃんはちょっと待っててくれねえか」

「……待機ですか？」

「いやあ、さっきみたいに派手な活躍されても困るからさ、ほら、ここで嬢ちゃん達と茶飲み話でもして待っててくれよ。茶はないけど」

田中トムという人間の美点をあげるとするなら、どのような人間相手にもすぐに順応する事だろう。普通の人間ならば、一度その『特性』を見ただけで恐れて近づかないようにする相手――例えば静雄やヴァローナに対してでも、慣れた後は普通に対応策を考慮し、付き合う事ができるタイプの人間だ。

トムはその対応の一つとして、交渉に不慣れなヴァローナは連れて行くべきではないと考えたのである。もっとも、身の安全に対する保険として静雄はきっちりと連れて行く所は、彼の抜け目無い所と捉える事もできるのだが。

――まあ、

「つーか、まあ、嬢ちゃん達がたくさん来てくれて助かったよ。俺と静雄で、まあ、10分ぐらいで戻ってくると思うから。まあ、別に一人で待っててくれてもいいんだけど、初仕事の日にあんまり寂しい思いさせるってのもあれだと思ってさ。嬢ちゃん達も頼んじゃっていいか？」

「いいよー」

「……喜んで……」

「静雄お兄ちゃんが戻るまで待ってる！」

三者三様の肯定を返し、四人の女性が境内に残る事となった。

その様子が、尾行者によって監視されているとも気付かぬまま。

♂♀

「おい、なんか女達と静雄が分かれたぞ！　まだか!?」

『もう一分もかからねえ。安心しろ』

「つーか、関係なさそうだが……知り合いっぽい高校生ぐらいの女も二人いるぞ」

『一緒に攫っちゃえばいいっしょ』

「一緒ってお前、大丈夫なのかよ」

『いや、噂で聞いたんだけどよ……』

『昨日もダラーズがなんか、暴走族のリーダーの彼女だかを五人纏めて攫ったとか聞いたぜ』

♂♀

数分後

「へー、サイモンさん達の知り合いって事は、エゴールさんとも知り合いなんですか!?」

「……驚愕です。貴女達がエゴールの事を認識しているとは想定外です」

「……驚……奇……」

トムと静雄が消えた後、ヴァローナ達はつつがなく会話を続けていた。

ヴァローナは何も話す事はなく、沈黙が続くだろうと想像していたのだが、お下げ髪の娘も、同じ顔をした暗い少女も、想像以上に物怖じせず話しかけてくる。

　話の中で妙な縁が発覚したという事もあり、ヴァローナはとりあえず話を合わせて、現在の『雇い主』であるトムの言葉に従って、この場で待機を続ける事にした。

——だが……私は今後どうするべきなんだ……。

——バーテン服の男に急接近できたのはいい。名前も分かった。しかし、どうする。隙を見て後ろから襲いかかるか。

──……。

──なんの為に？

もはや自分の望みすらも見失いかけていたヴァローナ。

そんな彼女の服の裾を、茜がクイクイと引っ張った。

「……お姉さんは、静雄お兄ちゃんのお友達なんですか？」

「えっ」

昨日、自分達が誘拐した少女。

どうやら相手はこちらの正体に気付いていないようだ。

ヴァローナとしても、彼女は単なる過去の仕事の一要素に過ぎず、特に個人的な感情はない。

「……お友達……。否定します。私と静雄。単なる仕事の同僚に過ぎません」

「そうなんですか」

何故かホッとしたような顔をする茜に、ヴァローナは首を傾げるのだが──

次の瞬間、彼女の耳が周囲の異常を察知した。

周辺の道路に車が数台停まり、ほぼ同時に、その扉が開く音がした。

──っ！

ヴァローナの心中に警報音が響き渡る。

彼女は即座に身構え、境内の周囲を警戒する。

すると——数台のバンから現れたのは、銀行強盗のような目出し帽を被った男達。

武器などは持っていないが、荒縄や麻袋のようなものを持っている。

「あれ!? 何? 何? まずそうな雰囲気だよ?」

「……悪……?」

クルリの呟きの通り、彼らはこちらを一直線に目指して走ってくる。

スプリンターのような全速力の走り方だ。彼ら手に持つ麻袋が宙を激しく揺れ、見る者の心を不安にさせる。

もっとも——それは、普通の人間が見ればの話だが。

男達はそのまま、一気に女達を取り囲み、顔に麻袋を被せようとする。

視界を奪われてパニックに陥った女達を押さえ付け、そのまま車まで運んで逃走。

簡単な仕事だ。

だが、余裕はない。

今はたまたま誰もいないが、いつ周辺住民が通りかかるか解らない。

できるだけ目撃されるリスクをさけつつ、彼らは多少乱暴にでも女達を攫おうとしていた。

この仕事さえこなしてしまえば、平和島静雄という『兵器』を壊すなり利用するなり、自分達の意のままにする事ができるのだから。

しかし、彼らは想像していなかった。

静雄と共にいた女達もまた、兵器とまではいかないまでも——

凶器と呼べる程には、危険な存在であるという事を。


女性陣の中では一番体力のありそうな白人女性。

そんな彼女に麻袋を被せようとした、一人の男。

彼が、凶器の鋭さを味わう最初の犠牲者となった。


「……狙いは、私ですか」

ヴァローナは小さく息を吐き出すと、地面を一歩踏みだし——カメレオンの舌を思わせる勢いで、右足を男の顎めがけて突きこんだ。

麻袋を振り上げた男の腕をかいくぐり、鉄板の仕込まれた安全靴が突き進む。

流れるような動きで繰り出されたハイキック。

爪先を突き刺すような形で放たれたその一撃に、男は何をされたのかも解らぬまま白目を剝いて昏倒した。

「……は？」

男達は、その光景を見て心に空白を生み出した。

ヴァローナの強さを知って怯えたわけではない。

純粋に、何が起こったのか、理解できなかったからだ。

だからこそ、心は止まれど体は止まらず。

隙を作ったまま、女達に全力で駆け寄った男達に、手痛い反撃が浴びせられる。

ヴァローナだけではなく、その場にいた全ての女性から。

「手前、大人しく……ボっ!?」

マイルを押さえ込もうとした男の目に、彼女の指が突きこまれる。

潰れる事はなかったものの、強制的に仰け反らされる男。

マイルは突きこんだ指でそのまま男の目出し帽を掴み、相手が離れた勢いを利用して一気に布地を引き剝がした。そして、露わになった男の耳めがけ——マイルは思い切り平手打ちを叩き込んだ。

鼓膜を破る事を目的とした、危険なタイプの平手打ちを。

悲鳴を上げて転げ回る仲間の声に、反射的に視線を向ける別の男。その瞬間、クルリはポケットから取り出した小さなスプレーを噴射した。

手の平にすっぽりと収まる、香水程度の大きさの噴霧器。

その中に入れられていたのは——市販の痴漢撃退スプレーを参考に作った、彼女オリジナルの護身液だ。

あくまで参考にしただけなので、その刺激は市販のものより強力に作られているのだが。

「なっ……なっ……⁉」

周囲の男達が次々とやられていくのを見て、襲撃者の中で一番大柄だった男が、そこでようやく異常に気付いてたじろいだ。

「くそ、舐めやがって……！」

男は、適当な少女を一人捕まえ、力尽くで人質にしようと考えた。

痴漢スプレーを持った女が一番とろそうだと判断した男は、自らの長身ゆえに気付く事ができなかった。

自分の足元に、小さな少女が歩み寄ってきていた事を。

「……あ？」

足元で『バチリ』という音が響き、男が視線を下に向けるのと——

「え、えいっ」

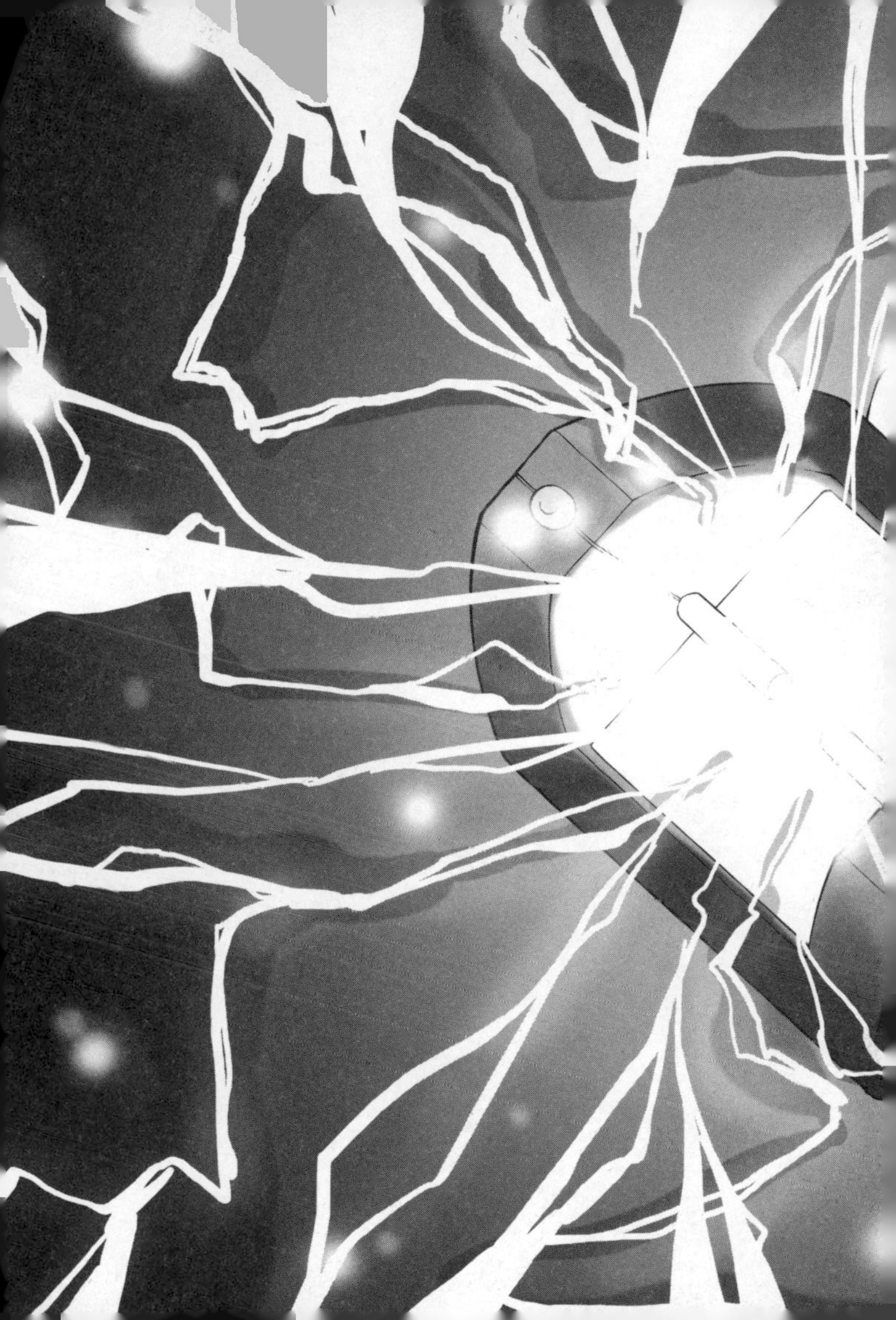

粟楠茜が、手に持ったスタンガンを押しつけるのは全く同時の事だった。

茜が先日、静雄を殺す為に『奈倉』から渡されたスタンガン。

男にとっても茜にとっても幸運だったのは、茜が寝ている間に、新羅が電圧を常人が死なない程度に改造しなおしていたという事だった。

もっとも、『死なない程度』というだけで、強力な電圧な事には変わり無かったのだが。


悲鳴を上げる間もなく、口と鼻から泡を吹き出して倒れる大男。

すかさずスタンガンのスイッチを切ってマイルの陰に隠れる茜を見て、ヴァローナは思う。

——なぜスタンガンを？

——……昨日の今日です。護身用に持たされたのでしょうか。

——それにしては、使い慣れているような……。

疑問に思いつつも、ヴァローナは次々と男達を昏倒させていく。

最初は、自分に恨みのある人間が寄越した刺客か、粟楠茜を攫う為、自分達の代わりに雇われた集団かと思ったが——

「く、くそ！　なんだよこいつら！」

「誰だよ！　静雄への人質になるとか言った奴ぁよぉ！」

――っ！

焦燥混じりに喚かれた男達の言葉を聞き、ヴァローナは理解する。

――なるほど……。

――私達が、静雄の人質に……。

――こいつらは、平和島静雄を倒したかったというわけか。

気付けば――ヴァローナは笑っていた。

――笑わせるな。

横から迫る男の足の甲を踏み抜くヴァローナ。

呻いて前屈みになった男の鼻っ柱に、回転軌道を描いた肘鉄を叩き込む。

――お前達程度が……あの男を倒す？

思い出す。

思い出す。

かつて、自分が『壊してきた』者達の事を。

今、目の前にいるのは――そんな者達にすら遠く及ばない、油粘土のように柔らかい者達だ。

だが、男達を素手で昏倒させていくうちに、徐々に別の事も思い出していた。

連敗の衝撃で忘れかけていた、自分の本分。

自分自身にもどうしようもない、病的な衝動を。

——足りない。

——こんな奴らじゃ、足りない。

——そうだ、人間は……こんなに脆いものじゃない。

——平和島静雄は……こんなに脆いものじゃない！

人間が本当に脆い生き物なのかどうか。

それを確かめるという名目で始まり、彼女に快楽を与えていた『破壊衝動』。

だが、ただ人を壊せば快楽と感じていた筈のそれは——微妙な変化を見せていた。

——強く……。

——私自身が、強くなりたい。

——あの、ダイヤよりも固く、ツンドラの大森林よりも壮大なあの男を！

——平和島静雄を壊す事ができたなら……。

——きっと……何にも代え難い充実を得る事ができるのではないか？

そんな事を考えながら、ヴァローナは男達を蹴り、打ち、倒し、ただただ圧倒する。

無理矢理作り出した笑みを貼り付けながら、圧倒する。

本当の笑顔は、静雄を倒した時に浮かべようと決意して。

「や、やべぇ！　一旦引くぞおい！」

全く想定外の状況となり、男達は慌てて境内から逃げ出した。

そのまま車に向かおうとしたのだが、既に車は発進しようとしている。

「ば、バカ！　待て、なんで……」

男達は慌てて車に駆け寄り——そこで、車が発車しようとした理由に気が付いた。

通りの向こうから、特徴的なバーテン服の男が、ドレッドヘアの男と一緒に戻ってくる姿が見えたからだ。

「し、し、……静雄だぁ！」

「はやく乗れぇぇ！」

まるで肉食恐竜でも見たかのようなパニックを起こし、何人かをドアに引きずったまま車を発車させる男達。

悲鳴と共に去っていく数台の車を見ながら、トムは首を傾げながら呟いた。

「なんだありゃ。喧嘩でもしたのか？」

トムの言葉に、静雄は境内の方を見て——そこに茜達が普通に佇んでいる事を確認した後、呆れた目つきで男達に視線を送る。

「鬼子母神様の前で喧嘩なんて、罰当たりな連中っすねぇ」

実際彼らは、鬼子母神の前で子供を攫うという、喧嘩よりも遙かに罰当たりな行為に手を染めようとしていたのだが――幸いにして、彼らの企みは失敗に終わった。
静雄に見つからずに済むという、不幸中の幸いを噛みしめる暇もないままに、男達の車は静雄とトムの視界から消え去ってしまった。

♂♀

「……先刻の問いに対する私の答え、誤りがありました」

こちらに向かってくるバーテン服の男を見ながら、ヴァローナは静かに呟いた。

彼女の顔はいつも通りの仏頂面に戻っており、小声で囁かれたその声は、横にいる茜にしか聞こえない。

「えっ……」

キョトンとする茜に、対し、ヴァローナは、隠す事もなく自分の想いを口にする。

「平和島静雄。私の獲物です。いずれ、私の手で壊す。それが事実です」

「……っ！　だ、ダメ！　ダメだよ！」

それを聞いた茜は、慌てた声をあげてヴァローナのズボンを引っ張った。

「静雄お兄ちゃんは……私がやっつけるんだもん！」

茜の心に湧き上がった感情は、果たしてどのようなものだったのか――まだ幼い茜自身にも、具体的な己の心の動きは解らなかった。

ただ、ヴァローナが静雄を『壊す』と聞いた瞬間――彼女の中にあった、静雄に対する複雑な感情が交じり合い――一つの答えに辿り着く。

――静雄お兄ちゃんは、殺さないといけないのに。でも、殺したくなくて……。

――ええと、ええと……。

だが、彼女はその答えを言葉に直す事ができず、口から吐き出されるのはあやふやな答えのみだった。

「……静雄お兄ちゃんは、私がどうにかしないといけないの！」

「……不明瞭です。私の獲物に対して貴女が所有権を持つ理由を答えて下さい」

「む、難しい事は分からないよう！」

突然口論を始めた茜達を、クルリとマイルは目を丸くしながら見守っていたのだが――そこに、トムがやってくる。

「あれ、静雄さんは？」

マイルの問いに、トムは後ろを顎でしゃくりながら答えた。

「おお、そこの自販機で缶コーヒーを買ってる……って……」

トムも口論をしている茜とヴァローナに気付き、何事かと耳を傾ける。

「静雄は私のものです」

「違うの！　静雄お兄ちゃんに手を出しちゃダメなんだから！」

「……。……。……。……。……？　……!?」

──はぁ!?

あまりにも唐突な展開に、トムは眼鏡の下の目をゴルフボールのように丸くする。

──な、ちょっ……えっ!?

──なんだそりゃ!?　いつの間にそういう話になってんだ!?

呆然としてるトムをよそに、缶コーヒーを飲み終えた静雄が境内に入ってくる。

「静雄お兄ちゃん！」

「よう、仲良くしてたか」

駆け寄ってくる茜の頭をワシワシと撫でる静雄。

その茜は、ちらりと後ろを見ながらヴァローナとにらみ合っていたのだが──

結局静雄は、最後までその火花に気付く事ができなかった。

♂♀

「くそ！　聞いてねぇぞ！　なんなんだよあの女どもはよぉ！」

たまり場に戻ったチンピラ達の一人が、苛立ちの声をあげながら目出し帽を脱ぎ捨てる。

どうやら彼らは、かつて静雄に潰されたチーマー集団の残党らしく、アジトに残っていた数人の男達が何事かと集まってくる。

「なんだよ、失敗したのかよお前ら！」

「くそ、流石静雄の女ってだけはあるっつーかよぉ……なんなんだよあいつら！」

「まあいいじゃねえか。あのスタンガン持ってたガキなら、一人の時を襲えばなんとでもなるだろうよ」

「ああ、見張りを何人か現場に戻したしな。あいつらが女を見張ってれば、次は一人ずつ確実に攫えるってわけだ」

強がり混じりの笑みを浮かべる男達に、懲りた様子は見られない。

一度静雄に殴られておきながら再び敵に回ろうというのだ。基本的に懲りないタイプの人間達が集まっているのだろう。

だが——今回に限っては、彼らに『次』のチャンスは訪れないのだが。

「見張りってのは、こいつらか？」

ドチャリ、と音がして、溜まり場の入口に二つの肉塊が投げ出される。

顔をパンパンに腫らして気絶しており、相当殴られた事が想像できた。

そして——その二人を運んできた男達が、そのまま溜まり場の中に入り込んできた。

「なんだぁ！　てめぇ……ら……。……え？」

現れたのは——十人を超える、強面の男達。

黒スーツやジャージ、作業着姿など、様々な格好をしているが——一目で『その道の本職』と解る、不気味な威圧感を持った男達だ。

「で、誰を攫うって？」

「あ、え……？」

「茜お嬢に手を出すたぁねぇ……。そんなに溶鉱炉で鉄と混ざりたいのか？　あ？　そんなに鉄人になりたいなら、俺らが手伝ってやろうか？　なぁ」

「へ……？　へ……!?」

彼らは皆、粟楠会の構成員だ。

茜を陰から見張っていた組員達が、ヴァローナと接触した茜を見て、念のためにと人を集めていたのだが——そこに男達の襲撃があり、人が集まった所でノコノコとその仲間が現場に戻ってきたというわけだ。

茜に気付かれぬように見張りを捕まえ、そのままこのアジトに案内させたのだが——

当然ながら、茜の正体を知らないチンピラ達にとっては、何が何やら解らない。

「ちょっ……まって……何がなんだか……俺ら、ほら、静雄を……ね？」

「はいはい。話はとりあえず事務所で聞くから。言い訳を考えといて」

「ま、まって……」

「言い訳がつまらないとさぁ、遺言を考えるハメになっちゃうよ？　まあ、そうなったら誰にもその遺言は伝わらないんだけどさ」

そんな若者達の事情など知った事ではなく、粟楠会の面々は、淡々と作業を開始する。

女性陣にへこまされたばかりの若者達を事務所に連れ去るという、彼らにとっては造作もない作業を。淡々と、淡々と——しかし、一切の容赦なく。

こうして——噂話は、一つのチームを確実に破滅へと追いやった。

♂♀

池袋某所

茜や双子と分かれ、次なる仕事場へと歩く取り立て屋の三人組。

トムは時折静雄の方を見ながら、妙な事を呟き続ける。

「……まあ、弟の事を考えりゃ、モテる面ではあるか……」

「？　どうしたんすかトムさん。さっきから変っすよ」

「いや……なんでもねぇ。気にするな」

「？」

静雄は首を傾げつつ、今度は背後を歩いていたヴァローナに問いかける。

「そういや、ヴァローナよぉ」

「なんですか」

「俺、お前とどっかで会ったことあったっけ？」

「……っ⁉」

――バレた……のか？

警戒して体を強ばらせるヴァローナ。

顔は見られておらず、交わした会話は『私の、バイク』という一言のみ。

当のバイクを投げ壊されたり、銃撃したりといった事はあるものの、あとはライダースーツにフルフェイスヘルメットという格好のままだったので、顔は一切見せていない。

それでも、勘の良い人間なら気付くかもしれない。

彼女は警戒しつつ、彼女なりに慎重な答えを吐き出した。

「……秘密です。回答を拒否したいのですが構いませんでしょうか」

「……」

静雄は何も言わず、近くにあった自販機に歩み寄り、缶コーヒーを一本購入する。

先刻飲んでいたばかりなのにまた飲むのかと思っていたが――

静雄は、その缶コーヒーをヴァローナに差し出した。

「？」

「ほら、奢りだ」

「……」

「いや……今まで仕事コロコロ変えてたからな……。後輩ができるのって初めてなんだよ」

そう言った静雄は、どこか嬉しそうに微笑んだ。

「ま、細かい事は気にしない事にしとくわ。なんか茜とも仲良くしてたみてえだし、サイモン達の紹介ってこたあ、根は悪い奴じゃなさそうだしな」

「……」

――車を蹴り転がしてきた時とは、まるで別人だ。

――私の正体に気付いていているのかいないのか……それもよく解らない。

「じゃ、これからも宜しくな」

ヴァローナの頬にペトリと缶コーヒーを押し当てる静雄。

ムニュリと頬が撓むが、ヴァローナは無表情のまま言葉を返す。
「……いただきます」
――ヘイワジマ、シズオ。
――……おかしな男だ。
彼女の知る限りでは、最も頑丈な『人間』の男。
だが、まだ彼については何も知らない。
――時間をかけて、もっともっとこの男の事を知るとしよう。
――全てを知った上で、壊すとしよう。
――それが、私の生きる目的だ
ヴァローナはそう決意し、缶コーヒーを飲み干した。
深い香りが特徴の、微糖仕立ての珈琲。
やけに甘く感じられ、ヴァローナは静雄に対して無表情で呟いた。
「……ありがとうございます。……先輩」

♂♀

「お、おい、知ってるか⁉」

「静雄を狙ってた奴が、粟楠会の連中に攫われたらしいぜ」

「まじか」

「なんで！」

「静雄の女が粟楠の身内らしい」

「どういう事だよ」

「つまり、静雄は粟楠会の跡取り……？」

荒唐無稽な噂が、池袋の街の中で姿を変えながら飛び回る。

「聞いたか！　聞いたかよ畜生！」

「静雄の奴、粟楠会の会長の隠し子だったんだと⁉」

「げぇー！　マジで⁉」

「ロシア人の女との間の子だと！」

「だから静雄、金髪だったのか！」

「え、あれ染めてるんじゃないの？」

「やばくね⁉」

「俺、もう静雄は放っておくわ」

「怖いわけじゃねえぞ」

「でもほら、粟楠会は敵にするとめんどいからよ」

そんな、いよいよもってデタラメな話になってきた所で——

中途半場なチンピラ達は、即座にその噂を信じた。

信じざるをえなかった。

彼らの多くは、心の底では願っていたのだ。

——できることなら、静雄みたいな化け物とは関わりたくもない。

それは、『静雄に勝てるかも』という願望以上の——本能とでもいうべき感情だった。

だからこそ、彼らはその噂に飛びついた。

噂が真実であるならば——彼らにとって、静雄を恐れてもいい理由ができるからだ。

同じ一人の人間としては面子を保つために引けなかったものが、粟楠会というバックボーンをつける事で、『一人の個人に手を出さない』理由となる。

そんな個人の願望によって、今日も噂は作られる。

数ヶ月後、その噂を信じてしまった三流雑誌が『羽島幽平の祖父はヤクザの組長か!?』という記事を書き、所属事務所に訴えられた上に粟楠会にまで目をつけられ、出版社が倒産寸前まで追い込まれるのだが、それはまた別の話。

そして、日常と非日常、人と街との架け橋の一つとなるために——

今日もまた、新たな噂が池袋の街を駆け巡る。

「ねえ……知ってる？」

日常D『お惚気チャカポコ』

チャカポコ　チャカポコ

馬の歩みに合わせて、一台の馬車が道をゆく。

木漏れ日の中をゆっくりと移動するそのシルエットは、壮大な時の流れの中に漂う木の葉のように、緩やかに、緩やかに世界の中に映しだされていた。

ただ、そんなシルエットに何かしら問題があるとすれば——

その馬車には、シルエットしか存在しなかった事だろう。

光すらも呑み込む、反射の無い黒。

平面から三次元上の存在へと移行した『影』によって作られた、一台の屋根付き馬車。

近世の貴族が旅行に使うような馬車であり、まるで絵本の一部を切り取ったように見える。

ただし、影絵の絵本だが。

更に違和感があるとすれば——その馬車を牽く一頭の馬が、頭に黒い、馬専用の西洋兜のようなものを被っており、馬車と同じように、光すら反射しない状態となっている。

　そんな影絵の世界からやってきた馬車の窓から覗くのは、対照的な二つの上半身。

　一人は、この馬車とは全く正反対の、白い上着を羽織った若い男。

　もう一人は、この馬車の御者としては相応しいであろう格好――やはり『影』そのものとしか言いようのない、漆黒の服を纏っていた。

　その内の一人――黒い服を着た女が、男に向かって一台のＰＤＡを差し出した。

『屋根付き馬車にするのは初めてだったが、やればできるもんだな』

　画面にはそんな文章が綴られており、それを見た白服の男が、満面の笑みで口を開く。

「そりゃ、セルティにできない事なんてないさ」

『……お前は何を言ってもその調子だから、あまり褒められた気がしないな』

「そんな！　解ったよセルティ！　セルティが頑張ったって事を証明する為に、僕は人類の限界に挑戦すべきというわけだね。さあ言ってくれセルティ。君の為に俺は何をすればいい！　私は君が望むなら君の池袋叙事詩を１０００ページに亘って書き連ねて、聖書よりも多くこの世界に流布してみせるよ！」

　わけのわからない事をわめく男に対し、黒服の女はＰＤＡに淡々と文字を打ち込んだ。

『新羅』

「うん！」

『少し黙れ』

「……うん」

新羅と呼ばれた男は、叱られた子供のようにションボリとする。

そして、セルティと呼ばれた女は、肩口を竦めながら新羅の体を肘でつつく。

『そんなに落ち込むな。テンションが上がったり下がったり忙しい奴だな』

「……そりゃ、気分も高揚するさ！」

再び顔を輝かせ、セルティの首を見る新羅。

「二人きりで旅行なんて、僕が子供の頃にバイクの後ろに乗せて貰って以来だ！」

『旅行だったかなぁ』

「セルティがあれを旅行だと認識してないなら、まさに今回が初めての旅行ってわけだ！　凄いね、今日は二人の記念日だ！　これってハネムーンだと思っていいのかい⁉」

『……あんまり調子に乗って、成田離婚にならないように気を付けるんだな』

「はいはい」

新羅はまた窘められたと、肩を竦めて俯きかけたのだが——

「……。……？　……⁉」

ふと気付き、男は馬車の椅子から腰を浮かせつつ、叫ぶ。

「い、今、ハネムーンっていうのは否定しなかっ……ガっ！」

そのまま馬車の天井に頭をぶつけ、頭を抱えて呻く新羅。

『お、おい、大丈夫か!』

「いたた……大丈夫……星が見えた……」

『本当に大丈夫か？　すまない。天井を低く作りすぎたかな。今はヘルメットも脱いでるから、感覚が分からなかった』

セルティはそうPDAに綴った後、新羅の頭を優しくさする。

「いや、いいんだよ。高さはこれで丁度いいと思う。急に立ち上がった僕が悪いんだ」

『いや、本当の本当に大丈夫か？　すまない、頭を打つというのがどのぐらい痛いのかは解らないが……』

「いいっていいって、解らない方がいいよ、こんなの。ていうか、今『大丈夫か』って三回も言ってくれたね。そのセルティの優しさが私にとって最高の湿布薬さ」

『バカな事を言うな』

PDAに短く紡ぎ、セルティはぷいと窓の外に体を向ける。

——セルティったら、頬を染めているに違いない。本当に可愛いなあ。

新羅はそう思うが、実際彼女が頬を染めてる事は確認できなかった。

何しろ——彼女には、染め上げる頬そのものが存在していないのだから。

♂♀

セルティ・ストゥルルソンは人間ではない。

俗に『デュラハン』と呼ばれる、スコットランドからアイルランドを居とする妖精の一種であり――天命が近い者の住む邸宅に、その死期の訪れを告げて回る存在だ。

切り落とした己の首を脇に抱え、俗にコシュタ・バワーと呼ばれる首無し馬に牽かれた二輪の馬車に乗り、死期が迫る者の家へと訪れる。うっかり戸口を開けようものならば、タライに満たされた血液を浴びせかけられる――そんな不吉の使者の代表として、バンシーと共に欧州の神話の中で語り継がれて来た。

一部の説では、北欧神話に見られるヴァルキリーが地上に堕ちた姿とも言われているが、実際のところは彼女自身にもわからない。

知らない、というわけではない。

正確に言うならば、思い出せないのだ。

祖国で自分の『首』を盗まれた彼女は、己の存在についての記憶を欠落してしまったのだ。

『それ』を取り戻すために、自らの首の気配を追い、この池袋にやってきたのだ。

首無し馬をバイクに、鎧をライダースーツに変えて、何十年もこの街を彷徨った。

しかし結局首を奪還する事は適わず、記憶も未だに戻っていない。

首を盗んだ犯人も分かっている。

首を探すのを妨害した者も知っている。

だが、結果として首の行方は解らない。

セルティは、今ではそれでいいと思っている。

自分が愛する人間と、自分を受け入れてくれる人間達と共に過ごす事ができる。

これが幸せだと感じられるのならば、今の自分のままで生きていこうと。

強い決意を胸に秘め、存在しない顔の代わりに、行動でその意志を示す首無し女。

それが——セルティ・ストゥルルソンという存在だった。


と、そんな非日常の化身である彼女にも、彼女から見たなりの日常は存在する。

依頼によって様々な荷物を様々な場所へと届ける、池袋の運び屋。

半分何でも屋のように扱われてはいるが、彼女にとってそれはあくまでアルバイトのようなものであり、プロ意識というものは殆どない。

一年ほど前までは、池袋を縦横無尽に駆けるこの仕事ならば、首を探すチャンスが増えるだろうという理由から気合いを入れていたのだが——最近は、『これを届けないと困る人がいるんだろうなあ』という申し訳無さから勤勉に仕事をしている状態だ。

昔は、それこそ法に触(ふ)れるような荷も取り扱っていたのだが、最近ではそうしたものを運ぶ事は控えている。

自分一人が警察や非合法組織などに追われるならともかく、今は彼女にとって、そうしたゴタゴタに巻き込みたくない人間達ができたのだから。

もっとも、その筆頭(ひっとう)である岸谷新羅(きしたにしんら)は——彼自身が闇(やみ)医者という、ゴタゴタの中心近くをうろつくような職業についているのだが。

基本的に根が真面目(まじめ)であるセルティは、勤勉に仕事をこなしたり、オフの日も人のトラブルを解決しようとおせっかいを焼いたり、毎日がそれなりに忙(いそが)しかった。

完全に休みの日は、新羅とゲームをしたり家でごろごろしたりと、結局普段家に帰ってきてからしていることと変わらなかったのである。

そんな彼女にとって、今日の旅行はまさに休日らしい休日の過ごし方と言えた。

都心から離れた山の中。

湖が見える遊歩道を、馬車で揺られるだけの旅。

人通りが少ないのは当然で、事前に調べた結果だ。

夏場は肝試(きもだめ)しのコースになるような場所で、周囲には幽霊(ゆうれい)が出るという噂(うわさ)の廃墟(はいきょ)なども存在している場所だ。

ある意味で、影の馬車に首無し女というのはその環境に相応しいと言えるのかもしれないが、そもそも日本で西洋馬車の怪異という時点で何かがおかしい。

セルティ達は最初はそんな事も気にしたのだが——結局、人が少ない事を理由にこの場所を選び、二人きりでの日帰り旅行にやってきたのである。

普段世話になっている新羅にも骨休めをして貰おうと思い、今日は二人きりで旅行をしようとセルティの方から切り出したのだ。

現在の彼女の服装は、馬車に似合うゴシック調のドレスだ。普段被るヘルメットの代わりに、ケープを伴った貴婦人風の帽子を被っている。

これが純白だったならば、結婚式のドレスにも見えるのだろうが——影によって構成されたそのドレスとケープは、西洋の喪服という印象だ。

しかし、そんな未亡人ルックのセルティの横で、新羅は常にハイテンションだ。

新羅の希望に応えて、今日はライダースーツではなく、朝から『影』で様々な服を作り出し、それを適当な時間で着替えているような状態であり——セルティ一筋である新羅の気分が高揚しているのも仕方のない事だろう。

新羅も今日は白衣ではなく、旅行用の私服に着替えている。もっとも白を基調としている所はいつも通りではあるのだが。

彼はいつも以上に目を輝かせおり、朝からセルティが着替える度に、新しい衣装のセルティに歓喜の声をあげている。

ただし、着替えと言っても——その場で体にまとわりつく影を蠢かせるだけなのだが。

♂♀

5月5日　昼

「ねえセルティ。着替えなんだけどさ、私はその、あれだよ。一回一回服を脱いで、新しい服の袖に白魚のような君の腕を通すというのが見たいんだけど……ブホっ」

新羅の提案に、セルティは肘鉄で答えを返す。

『このスケベめ。馬車の中で着替えて、誰かに見られたらどうするんだ』

「見せつけてやればいいじゃないイタタタタタ」

頬を思い切り抓られ、痛みに顔を歪めながらも無理をして笑う新羅。

「御免、嘘、本当は誰にも見られたくない。セルティの着替えシーンは僕だけのものアイタっ」

コメカミに強烈なデコピンを喰らい、想像外の衝撃に頭をクラクラさせる新羅。

そんな事をしている間に、セルティは己の体を包む影を蠢かせ、新たな服へと着替えていた。

『終わったぞ』

淡々と綴られたＰＤＡを目の前に押しつけられた新羅が、ＰＤＡの影からセルティの方を覗き込むと――

そこには、漆黒のセーラー服を着たセルティが、どこか恥ずかしそうに座っていた。

『赤いスカーフを家から持ってきてつけてみたんだが、これ、私が着るとその手の店の風俗嬢みたいじゃないかな……』

首がない時点で風俗嬢というよりも学園猟奇ミステリーの被害者なのだが、新羅は急に真面目な顔になって、馬車の椅子の上に正座する。

『どうした？　や、やっぱり変か？』

相方の行動の意図が分からず、服をいつものライダースーツに戻すべきかどうか迷うセルティであるが、そんな彼女に、新羅は涙ぐみながら頭を下げた。

「一目見たその瞬間から好きでした。僕と付き合って下さいお願いします」

『気持ち悪いぞ新羅。どうしたんだ急に』

やはり、さっき頭を打ったのが悪かったのだろうか。

セルティは急激に不安になって、馬車をこのまま病院に向かわせようかと思ったのだが――

新羅は涙を拭いながら、セルティの腕を軽く掴む。

「いや、ごめん。僕さ、ほら、高校の頃、ずっとこんな風な告白をね、ほら、同じ学校に通ってたらと仮定した場合のセルティにする事に憧れてて……」

回りくどい言い方をする新羅。セルティは肩を竦めながら文字を綴る。

『面倒臭い奴だな』

「うう、女の子に告白された時も、『君には首から上があるだろう』って言って断り続けたからさ……」

『今すぐその女の子達に土下座して謝ってこい。ていうか、お前は首から上がなければ誰でもいいのか？』

皮肉を交えた文章に、新羅は勢い良く首を左右に動かした。

「とんでもない！　セルティなら首から上が人間だろうとダンボールだろうと、例えミミズとナメクジの集合体だろうと愛せるよ！」

『気持ち悪い事を言うな！』

──というか、こんな変態を好きになる女子がいた事にも驚きだ。

──物好きにも程がある。

「その噂が広まってからは不気味がられて女子が近寄ってこなくなったけどね。静雄に『お前のせいで俺まで女に避けられるだろうが』って理不尽な事を言われた事があるよ」

『理不尽でもなんでもない』

「そうかな？　……うん、そうだね。セルティの言う通りだ」

ハハ、と子供のように笑う新羅の微笑みを見て、セルティは思う。

——物好き、か。

——それはまさしく、私の事だな。

——首のない女に惚れた物好きか。

自分と新羅の関係に心中で苦笑しつつ、セルティはＰＤＡのキーを打ち込んだ。

『しかし、どうしてそう服装なんかにこだわるんだ？　お前だけじゃなくて、男はみんなそうっていうイメージがあるけど』

「他の男の事なんて知らないけど、すくなくとも俺には理由がある。セルティは僕にとって無限の可能性なんだ。もし、生まれた時と場所が違ったとしたら、きっと別のシチュエーションでの出会いだったと思う。僕はその全ての可能性を体験しておきたいんだよ！」

『そんな壮大な思いがあったのか』

「まあ、それは建前で、本当は色んな格好のセルティを見て欲情をもてあましたいと……」

言いながら、身構えつつ口を閉じる新羅。

『どうした？　続けないのか？』

「い、いや、いつもならこのへんで肘鉄とかくるから……。あれ？　そういや数ヶ月前にもこんなことがあったような……」

新羅の呟きに、セルティも思い出す。

——そうだ、確かあの時もこんな感じの雰囲気だったんだが……。

——エミリアがドアのチャイムを押して、邪魔されたんだった。

——いきなり新羅に抱きつくんだもの、驚いたな。

今となっては笑い話だが、あの時に本気で嫉妬しかけた自分を思い出すセルティ。

彼女は自分が本当に目の前の男を好きなのだと実感し、己自身に呆れてしまう。

——しかし、まあ……。

——なんだってこんな奴を好きになったのかなぁ。

果たして、『首』の中にある記憶——アイルランドで妖精としての生活を続けていた中での自分は、このような生活を送った事はあるのだろうか。

好きな相手と二人きりで旅行。

そんな『人間から見た』幸せな時。かつての自分は、それに似たような幸せを感じた事はあったのだろうか？　一体どんな日常を送っていたのだろうか？

気にならないと言ったら嘘になる。

だが——

「どうしたの？　セルティ。気分でも悪くなったかい!?」

『いや……』

新羅の顔を見て、セルティは思う。

やはり、今となっては、そんな過去よりも今の日常の方が大事なのだと。

セルティはからかうような文章をＰＤＡに打ち込み、新羅の膝にそっと置いた。

『で、欲情をもてあまして……どうするつもりなんだ？』

「え……？　……っ！」

『お前がこの馬車の中で欲情をもてあましたら、私は一体何をされてしまうんだ？』

「……」

――あれ？　黙っちゃったな。

いつものように狼狽してはしゃぎ出すと思っていたセルティは、ＰＤＡを見たまま沈黙する新羅の顔を覗き込む。

表情が消えて、何やら深刻な顔つきをしている。

――どうしよう。からかいすぎたから怒ったのかな。

謝る文章を打ち込もうと思い、ＰＤＡを取ろうとした瞬間――

その手を、新羅がガシリと握り込む。

「セルティ……」

普段とは違う、真剣な表情の新羅。

そんな表情のまま頬を紅潮させているのが気持ち悪い。

「それは、その……ありがとう」

――おっ……

「ありがとう……セルティ」

――御礼を言われたーっ!?

「俺、頑張るよ！」

――頑張るって何をだ！

ツッコミの言葉を打ち込もうとするのだが、PDAがまだ拾えていない。

冷静になれば影を伸ばして拾う事もできるのだろうが、今のセルティは冷静という単語とは程遠い次元にいる。

体全体で『あわあわ』という状況を表現しているセルティ。

新羅は、そんなセルティの肩口に、目をキラつかせながら手を伸ばす。

――ちょっ、まっ……。

普段の巫山戯た調子の新羅なら簡単に殴り飛ばして終わりだが、真剣な表情の新羅を前に、セルティは自分がどうしたいのかすら解らなくなっていた。

――せめて、馬車の窓を影で……！

そんな事を心中で叫んだ瞬間――

あた
ふた
;

『♪♪♪♪　　♪♪♪♪　　♪　♪♪♪♪　♪♪』

新羅の懐から、携帯電話の着信音が鳴り響く。

セルティと新羅が共通して応援しているアイドル、聖辺ルリの新曲だ。

これ幸いとばかりに、新羅の携帯を奪い取り、相手の顔面に押しつける。

「ムゴゴ」

携帯電話に口を塞がれた新羅を余所に、セルティはPDAをやっとのことで拾い上げ、指先から影を無数に出して文章を打ち込んだ。

『ほら、電話だぞ新羅』

「いいよ、放っておいて」

『それはダメだ、お前は闇医者とはいえ、人の命に関わる仕事をしてるんだからな』

「セルティがそう言うなら……」

水をさされた事にがっかりしつつ、新羅は携帯電話を耳にあてた。

「もしもし」

新羅が電話をしている間、セルティは考える。

――ああ驚いた。

――ああいう事は初めてじゃないとはいえ……。やっぱりこんな場所だと吃驚するな。

――ていうか、シューターが傍にいるのも恥ずかしいし……。

「ああ！　ああ、ああ！　お久しぶりですね！　まだ生きていたとは、ご無事をお祝いすればよろしいですか？」

――まだ生きていたとはって……。

――やっぱり、粟楠会とかその関係の人か。

「おやおや、誰かに撃たれでもしましたか？　声を聞く限りは元気そうですけど』

――やっぱりそうだ。

「……あー、まあ、その辺の事情は聞きませんけど、明日の夜でいいですか？」

――明日の夜から、早速仕事か。今日は泊まりは無理だな。

「残念、今日は私はオフで、今、ちょっと東京を離れているんですよ』

――まあいいか。今度また機会を見て、山奥のバンガローとかを借りるか。

「……彼女？」

――？

――あれ、新羅の顔色がちょっと変わったぞ。

――なんの話をしてるんだろう。

「人として、止めた方がいいかな？」

──いや待て、本当になんの話だ!?

──四木さんあたりが、誰かを埋める話でもしてるのか!?　でもなんで新羅に!?

「例の彼女は、セルティの料理の師匠なんだけどねぇ」

──私の名前が出てきた!?

──師匠!?　料理の師匠って!?

──あ、も、もしかして……。

「あれ、切っちゃったよ」

『何事だ新羅!?　今のは誰だったんだ!?　私の師匠って、美香ちゃんの事か？』

♂♀

慌てた調子で尋ねかけるセルティを見て、新羅は考える。

──どうしよう。

──電話の内容をそのまま話したら、セルティ、助けに行くと言いだしかねない。

──いや、セルティなら絶対言う。

──それでこそのセルティだ。そんなセルティが大好きだ！

自分の愛を再確認した新羅だが、さりとて正直に話すのは躊躇われる。
何しろ、今しがたの電話の相手は、セルティの本物の首を持ち逃げした張本人だ。
ひょんな事からセルティの手に『首』が戻ってしまう可能性は十分にある。
——それに矢霧さん、『殺すのが目的じゃない』ってハッキリ言ってたしねぇ。
そうした様々な要素を考慮した結果——
「矢霧誠二君だよ。なんか喧嘩しただけみたいだから心配ないよ」
一秒と迷わず、罪悪感の欠片もない笑顔で嘘をついた。
『なんだ、そうか』
「……」
『……』
わざわざ沈黙を文章に書いて新羅に見せつけるセルティ。
『…………………………………』
画面を相手に向けたまま、首無しのセーラー服娘は器用にキーを打ち込んでいった。
増え続ける『…』が新羅の心を圧迫する。
「……ハハっ、セルティー」
引きつった笑いを浮かべた所で、セルティは影を伸ばして新羅の全身を押さえ付ける。
『嘘をつくな嘘を！　アイツだろう！　あの矢霧波江とかいう奴だろう！』

「ああああ、セルティは僕の目を見ただけで嘘すら見破るようになったんだね！　それはそれで心が通じてるみたいで嬉しいよ！」

『誠二君に「撃たれましたか」だの「生きてたんですか」だの言うか！』

「セルティったら名探偵!?　……解ったよ、正直に言うよ」

新羅は諦めたように溜息を吐き出し、続く言葉を口にする。

「波江さんがね、美香ちゃんの顔を元に戻そうと計画しているらしいんだ。だけど、ほら、美香ちゃんはあの顔がお気に入りじゃない？　それで私に、明日とかにでも、寝てる間に整形できないかって。それは人としてどうかって話だよ」

『なるほど』

「そんな事をして嫌われるのは嫌だろ？　セルティの料理の師匠なんだから。そう言ったら、役立たずって叫んで電話を切っちゃったってわけさ。嘘をついたのは、波江の名前を聞いたら、セルティが首を探す為に波江を追うかなって怖くなって……」

　そこまで言った所で、セルティは新羅の体を拘束していた影をひっこめた。

『バカだな、新羅は。もう首なんてどうでもいいって言ってるだろ』

「それは解ってるけど、やっぱり怖いんだ。首の方が君を引き寄せてしまうんじゃないかって」

『心配しすぎだ。それにしても、あの女は何を考えてるんだろう。今更女の子の顔を弄った事に罪悪感でも覚えたのかな。当の美香が元の顔に戻りたがってないってのは皮肉な話だけどね』

そんな文章を綴るセルティを見て、新羅は心中で呟いた。

――ごめんよ、セルティ。

――セルティは、矢霧波江の危なさをよく知らないから解らないだろうけど……。

――本当は、もっとずっと物騒な雰囲気だったんだ。

――でも、やっぱり、できるだけ君を波江に……『首』に近づけたくはないんだ。

新羅は、一旦嘘を見破らせておいて、その後に限りなく真実に近い事を語る事によって、セルティを騙す事に成功した。騙したというよりは『肝心な事を言っていない』だけなのだが、セルティが波江に関わらないようにするには十分な効果があったと言えるだろう。

――……まあ、流石にさっきの続き、って気分じゃないな。

――なんとなく美香ちゃんを見捨てたみたいだし。

――まあ、殺すつもりはないって言ってたしね。

高揚に水を差された形となる新羅は、恨めしそうに電話を眺めて、そのままこっそりと電源を切ろうとしたのだが――

『気分転換に、次の服にでも着替えるか』

というセルティの文字列を見て、新羅の頭の中からは張間美香も矢霧波江も消え去った。

「ええっ⁉　もう⁉」

そもそも、セルティを騙す為に少女の顔を整形した張本人が、今更見捨てるもへったくれもないのだが。

「待っておくれよセルティ！　もう少し学生気分に浸らせておくれ！　ストゥルルソン先輩って呼びたいし新羅先輩とも呼ばれたい複雑なお年頃……」

わけの解らない事を叫ぶ新羅の前で——セルティは不意に動きを止め、新羅を再び影で縛り付けた。

「わ、何!?　何!?」

『すまない、ちょっと待っててくれ』

セルティはそこで首無し馬のシューターに合図を出し、馬車を道の端に停車させた。

そして、混乱する新羅を余所に、セルティは馬車の外に出て行ってしまった。

「ちょっ……どこにいくのセルティ!?　待って！　捨てないで！　俺に悪い所があるなら全部直すし、先週ビデオに録った『世界ふしぎ発見』をうっかり消しちゃった事なら謝るからさ！」

悲痛な叫びが森の中に響くが、セルティはセーラー服姿のまま木々の間へと姿を消してしまった。

10分後

新羅にとって永遠とも思える時間が流れた馬車の中——

セルティが、何事もなかったかのように戻ってくる。

「セルティーっ！　戻ってきてくれたんだね！」

『大袈裟な奴だ』

「だって、だって……本当に捨てられたんじゃないかって心配だったからさ」

『お前はともかく、シューターを置いていくわけないだろう』

さりげなく酷い事を綴りながら、セルティは新羅を影の拘束から解き放つ。

『いや……久々に妖精っていうか、そういうのの気配を感じたから、ちょっと挨拶してきた』

「妖精？」

『日本だと妖怪とか山の神様とか言った方がいいのかな。まあ、やっぱり日本にも森の中とかにはたくさんいるな。故郷の森を思い出すよ』

どこか懐かしそうに言うセルティだが、首と共に記憶の大半を無くした彼女にとって、その森の思い出すらもおぼろげな筈だ。新羅はあえてそれは口に出さず、セルティに優しげな微笑みで問いかける。

「へえ、で、挨拶できたの？」

『うん……まあ……。敵意とかそういうのはなかったんだけど……。日本にようこそって言われて……それで……』

躊躇いがちに文字を打ち込み、セルティはどこか恥ずかしそうに身を縮こまらせる。

『人間と結ばれる存在は久々に見たから、その、頑張れって……』

「そりゃもちろん頑張るよ！　いい人じゃないか！　って、あれ……覗かれてたの？」

『いや……あれだけ男が騒げば、嫌でも聞こえるって……』

「……」

人間ならば顔を真っ赤にしている所だろう。セーラー服も相まって、新羅の日にはもじもじするセルティの姿が、年下の後輩のものであるかのように映る。

「ははは、寧ろ見せつけようじゃないかゲフっ……なんで⁉」

和ませようとして肩に手を回した新羅の喉に、セルティの地獄突きが打ち込まれた。

『それより新羅……お前……先週のビデオをどうしたって……？』

「ひっ」

言い訳をする暇もなく、三度影で拘束される新羅。

『楽しみに取っておいたのに……。お前と一緒に、誰がトップ賞を取るかどうかで盛り上がろうと思ってたのに……！』

「ああああ、ご、御免よセルティ！　代わりに僕が金のひとし君レベル……いや、クリスタルひとし君レベルでセルティを盛り上げるから！」

『ボッシュートだ！　擽ってやる！』

「ちょ！　全身を縛られたこの状態で!?　ごめんよセルティ！　それは確かに辛いけどセルティに擽られるなら僕は意外と天国かもしれないけどやっぱりやめて、でもやめないでー！」

混乱する新羅の脇腹の辺りに、擽り用の影が十本ほど伸びた瞬間——

新羅の携帯から、再び着信音が鳴り響いた。

「……」

『出ていいぞ』

伸ばした影で新羅の携帯を取り出し、通話ボタンを押しながら新羅の耳元にあてる。

新羅はホッとしたような残念なような表情を浮かべつつ、電話口に喋りかけた。

「はいもしもし……、なんだ、静雄かい」

——静雄か。あいつも昨日は災難だったな。

セルティは、昨日バイクを投げたり車を転がしたり少女を救ったりしている友人の姿を思い出し、心中でクスリと笑いながら沸き上がった怒りを消していく。

「いや、まあ御礼なんていいよ、今ちょっと、手が離せないっていうか動かせない状態でね。……うん、うん、ああ、じゃあまた明日にでも」

電話が終わったのか、新羅は深い溜息を吐きながらセルティに語りかける。

「……ごめんよ、セルティ。ごめん」

『このタイミングで謝るな』

毒気を抜かれたセルティは、新羅を解放しながら窓の外の景色に目を向ける。

森の中の湖が日光を反射し、美しい輝きを揺らめかせている。

先刻までの『気配』は遠ざかり、今は周囲に人影は疎か、動物の姿もない状態だ。

そんなタイミングで新羅が、

「でも、ちょっとオシオキはされたかったかな」

と変態的な事を言うので、セルティは少しだけ悪戯っ気を出す事にした。

『そんなにお望みなら、たっぷりやってやる』

ＰＤＡにそう綴り、馬車の窓の部分を『影』で被うセルティ。

「うわっ、真っ暗だよ⁉」

――ふふふ、困ってる困ってる。

「なにされちゃうの！　俺、これから何をされるの⁉」

――このまま何もせずに放置プレイしてやる。

「ていうか、黒セーラー服の子と真っ暗闇で二人っきりって、なんか凄くドキドキするよ！」

――と、そうだ。今のうちに着替えておくか。

周囲が真っ暗な事もあり、セルティはやや気を抜きながら影を蠢かせる。

自分の肌を見せないようにしながら服を変化させるのは割と神経を使うので、暗闇に乗じて大胆に服を変化させ始めたのだが——

一番肌が見えているタイミングで、座席前の台の部分に置かれた新羅の携帯に着信が入った。

暗闇の中で、携帯電話のディスプレイが明るく車内を照らし出し——

新羅の網膜に、ぼんやりと浮かぶセルティの柔肌を焼き付ける。

「なっ……！」

——ひゃあああっ⁉

——……。

——ひゃあああぁぁぁぁあああぁぁあぁあぁぁあぁぁああぁぁあああぁ⁉

パニックを起こしたセルティは、反射的に新羅の目を影で被い、自らの全身を慌てて影で被い込む。

一方で、新羅は目が見えないまま手探りで携帯を手にとり、呆けた調子で着信を受ける。

「はい……もしもし……。ああ……君か……。うん、知ってるよ……。多分、矢霧製薬の第三倉庫にいると思う……。君のお姉さんがそこに呼び出すかなんかするみたいな事を言ってたよ……うん、じゃあね」

そんな事を夢うつつで答える新羅だが、セルティにその内容は聞こえていない。

彼女は半ばパニックになっており、それどころではなかったのだ。

影の服を着込み、必死で心を落ち着けた所で、セルティはようやく馬車の窓を開け広げた。

森に反射する柔らかい光に包まれた彼女は、よほど慌てていたのか——アイルランドにいた頃と同じ、漆黒の西洋甲冑に身を包んでいた。

そんな格好でPDAを持つ姿は、違和感の塊としか言えないものだったのだが——

新羅の目には、既にそんな鎧など映ってはいなかった。

『み、見たのか新羅』

「……え？」

『い、いや、部屋とかでは見られた事も当然あるが、やっぱりこういう場所で肌を見られるというのは、その、さっきも言ったが、シューターも傍にいるわけだし……恥ずかしいっていうか……』

「いいんだよ、セルティ」

しどろもどろな文章を打ち込むセルティに、新羅は菩薩のような微笑みを浮かべて呟いた。

『いいって何が』

「セルティは、可愛いなあ。フフッ」

『気持ち悪い！』

——壊れた！

――新羅が壊れた！

ウフフアハハと笑う新羅の顔を平手で叩き、正気に戻そうと試みるセルティ。

『しっかりしろ！　いいから、しっかりしろ！』

「ぶぁッ。ぼッ。……あ、あれ、セルティ。なんで鎧なんて着てるの？」

『え？　い、いや……これは……』

「鎧……そうか、デュラハンの基本装束みたいなものとはいえ、これは逆に盲点だったよ！　女性らしさからは離れた出で立ちだけど、セルティの可愛らしさが滲み出てる！」

どうやら妄想の世界から戻ってきた新羅は、そのまま別の世界に行ってしまったようだ。

セルティも、そんな新羅の褒め言葉にまんざらでもないようだ。昔の自分の基本的な格好なだけに、昔からの自分を肯定されているような気になっていた。

それが余計に恥ずかしいのか、セルティはすぐにその衣装を変化させようとする。

「ああッ、待ってよセルティ！　写真撮らせて！」

蠢き始めた影を前に、新羅は慌てて携帯を構える。

新たな衣装に切り替わる瞬間、先刻ほどではないが、セルティの腕や足の一部が見え隠れし

――寧ろシャッターチャンスとばかりに、新羅は撮影ボタンをプッシュする。

……が、それよりも一瞬早く携帯に着信がはいり、写真モードが強制的にキャンセルされた。

「あああああぁ」

悲鳴に近い声をあげつつ、苛立ち混じりに電話を取る新羅。

「だ、誰だーッ!」

『誰だって……そんなダイナミックな「もしもし」初めて聞いたよ』

「なんだ、臨也か。じゃあね」

『おい、切るなよ。こっちは動けなくて暇なんだ。今、ようやく病院の電話を借りられてね』

「病院? 入院でもしてんの?」

『今朝の大王テレビは見てないか。俺、昨日刺されちゃってさ』

「ああそう。じゃあね」

ブツリ、と、一方的に電話を切る新羅。

『……誰からだ?』

というセルティの問いに、新羅はあっさりと言葉を返す。

「臨也。なんか誰かに刺されて入院してるみたい」

『ええッ? 大丈夫なのか?』

と、セルティも思わず驚きの声を文章にしたのだが——

やや考えてから、その文章を消して打ち直した。

『……まあ、詳しくは知らないが、多分自業自得なんだろ？』

「あたりまえだろ」

『電話してきたって事は、ぴんぴんしてるんだろうしな』

「そうそう。声も元気そうだったしね」

全く心配していない自分と新羅に気付き、セルティは臨也について考える。

――あいつ……。静雄とは別の意味で、怪我しても心配されないタイプなんだな……。

『でも、流石に今の対応は冷たすぎるんじゃないか？』

「いいよ、臨也は人に冷たくされても人を好きになれるマゾだから」

『お前が言うか？　まあ、でも刃物傷は感染症や血栓も怖いからな。あとでちゃんと謝っておいた方がいいぞ。ただでさえお前、静雄と臨也しか友達いないんだし……』

「うん……そうだね。セルティがそう言うなら」

そう言った所で、再び新羅の携帯に着信があった。

『ほら、噂をすればだ。臨也の奴もきっと刺されたばかりで不安なんだよ』

「解ったよ。……もしもし」

携帯電話に語りかける新羅を、セルティは心中で微笑みながら見守っていたのだが――

「はい……はい……えッ……。いや、私は臨也の友人ですが……。すいません、今はちょっと旅行中でして……。恨まれる理由？　……たくさんありすぎて逆に特定できませんよ。高校の頃から、彼は色々やんちゃしてましたから。いや、私は清廉潔白ですよ」

何やら、妙な会話になっている。

どうやら電話の相手は臨也ではないようだ。

そして、清廉潔白、という単語を聞いて、セルティはハタと思いつく。

——そういや新羅、今日はまだ私との会話にこれみよがしな四字熟語とかことわざを使ってないな。

——いつもだったら、自分の知識をひけらかすみたいにガンガン使ってくるのに。

——……こいつなりに緊張しているのか、それとも旅行が楽しくて忘れてるのか……。

——後者だったら、私もほっとするんだけどな。

そんな事を考えている間に、電話は終わったようだ。

『誰だったんだ？』

「……警察の人」

『は？』

「臨也が刺された事で何か知らないかって……。多分、病院の電話をリダイヤルかなんかしたんでしょ。ああもう、僕の闇医者稼業がバレたのかと思って心底ひやひやしたよ……！　せっかくの旅行なのに、一気に現実に引き戻された気分だ」

肩を落とす新羅に、再び着信音が鳴り響く。

頬を引きつらせながら着信を受けると──電話口から、臨也の声が響き渡る。

『よお。もしかして今、警察から電話があったかい?』

「おかげさまでね」

『そうか、こっちも退屈でね。新羅が休日を謳歌してると思ったらなんだか腹が立ってさ。警察から闇医者に電話がいったりしたら面白いかと思ってね。どうかな? ちょっとは胸がドキドキしたかい? 多分一緒に休日を楽しんでるセルティと、吊り橋効果で仲良くなったかな?』

「あっはっは、臨也は土器で胸をかち割って死ねばいいのに」

そのまま電話を切り、深く深く肩を落とす新羅。


そして──再び着信音が鳴り響く。


「こら! いいかげんにしないと、中学の時のアレをバラすよ臨也!」

珍しく怒りを見せる新羅だったが──電話口に、反応はない。

「……?」

不審に思った所で、新羅は気付く。

自分の横で、セルティが自らの携帯電話を首の上辺りにまで持ち上げている事に。

ディスプレイの画面を確認する。

番号と共に、『セルティ・ザ・マイハニー』という文字列が並んでいた。

電話とセルティを交互に見比べながら、新羅は相手の意図を察し──

「ははッ」

無邪気な声を漏らした後、静かに微笑みながら呟いた。

「ありがとう、セルティ。やっぱり僕は……君が好きだ」


何百回、何千回と聞かされてきた言葉。

それが今、携帯と新羅の口から同時に響いてくる。

セルティはそんな声に挟まれ、ふと気付く。

──ああ。そうか。

──これが、幸せって奴か。

惚気た事を考えながら、セルティはPDAのキーを打つ事もやめ、ただ、新羅の話を聞き続けた。

セルティは新羅の声に聞き入り、新羅は、セルティの感情を読んで言葉を紡ぎ──時には黙って見つめ合う。

一方的に新羅が話しているようにしか見えなかったが、彼の話はセルティの感情を実に巧みに読んでおり、本当に会話しているような気にさせられた。

いつしか新羅も口を閉ざし、ただ二人で肩を寄せ合うだけとなったのだが——

なんとなく、セルティは考える。

——ああ、そうか。

普段は当たり前すぎて、いちいち考えるまでもないことを。

ただ、それを確認する事ができただけで——セルティは、この休日に意味はあったと考える。

——やっぱり私、新羅の事……大好きだ。

その後二人は、山の奥で殺人未遂事件に出くわしたり、動物園から逃げ出した熊に襲われたり、絶滅した筈のニホンオオカミを賞金目当てで探す二つの集団の抗争に巻き込まれたりと、普段以上の密度で『非日常』に巻き込まれる事になるのだが——それはまた、別の話。

そんな僅かな未来の事も解らぬまま——セルティと新羅は幸せに包まれている。

肩を寄せ合う二人を乗せたまま、漆黒の馬車は、チャカポコチャカポコ、チャカポコと。

そんな音に合いの手を入れるかのように——

馬車を牽き続けるシューターが、頭部を模した鎧の隙間から、深い深い息を漏らす。
まるでそれは、背後で惚気る二人に呆れ、大きな溜息を吐いているかのようだった。

チャカポコ　チャカポコ　ブシュルラ　チャカポコ

DRRR×7
Ryohgo Narita
エピローグ＆ネクストプロローグ『日常フーガ』

池袋　某車内

「だからそれは作品だけじゃなくて声優も同じっすよ。他の声優を貶す事で自分の好きな声優を持ち上げるなんて行為は、声優ファン以前に人として最低な行為っす」

「しょうがないよ。そういう子達は頭悪いから、自分の好きな声優を褒める言葉が出てこなくて、他の人を貶すしかないんだって。スルーしながら憐れみの目で見てあげなきゃ」

「狩沢さんの方がよっぽどキツイ事を言ってるような気がするっすよ……？」

「信者×アンチとアンチ×信者はどっちがいいかなあ」

「それはBLなんすか百合なんすか、そこ重要っすよ。超重要っすよ」

遊馬崎と狩沢による、いつも通りといえばいつも通りの会話が響くバンの中――

「……今日は、平和だったな」

助手席を倒して横になっていた門田の声に、ハンドルを握る渡草が言葉を返す。

「良いことじゃねえのか？」

「いやあ、昨日あんだけごたごたしたからよ、今日もなにかしらあると思ったが……」

「あんな事のない方が普通だろうがよ」

「まあ、そうっちゃそうなんだけどな……。ほら、俺らもこの一年でよ……首無しライダーだの妖刀だの、色んなもん見てきたろ」

苦笑しながら呟く門田に、渡草も顔面に笑みを貼り付ける。

「おお、あれは人生観変わるわマジで。今なら幽霊だろうが宇宙人だろうが信じられるぜ。俺にとっちゃ聖辺ルリのコンサートで一番前の席になった時に次ぐ衝撃だ」

「……そっちの方が上なのか。カズターノも、どっからあんな券まわしてくれるんだか……」

門田は軽く伸びをしながら、窓の外を移ろう街の風景に目を向ける。

「ま、ともかく世の中ってのは、なんだかんだいってバランスが取れるようになってるからよー。こんな風に俺らがノンビリしてる間にも……流石に戦争中の外国とかを例に出す気はねえが、例えば日本のどっかで、なんかああいうゴタゴタが起きてんだろうなって思ってよ」

「何が言いてえんだよ」

「俺らは黒バイクだのダラーズだのに関わっちまったんだ」

門田は笑いながら帽子を被り、椅子を引き戻しながら呟いた。

「何時、そういうゴタゴタに巻き込まれてもいいように……覚悟だけはしとこうぜって話さ」

♂♀

東北某所　病院

丑三つ時を回り、鎮まり返った病院内。

そんな中、折原臨也の元に現れたのは――目に殺気を滾らせる一人の女。

当然ながら、見舞い客などではない。

手にしたナイフが、寧ろ『とどめを刺しに来た』と物語っている。

しかし、困った事が一つ。

折原臨也にとって、本当に女が誰なのか思い出せなかったという事だ。

「誰……？　誰ですって……？　……そうだよね。貴方にとって、私なんて取るに足らない人間なんだよね……」

「……君、誰？」

「思い出せないって事は、どうやらそうみたいだ」

素直な感想を口にしたのだが、挑発にしか聞こえない。

しかし女は怒る事もせず、寧ろ微笑みすら浮かべながら床を蹴る。

「でも……その取るに足らない人間に、貴方は殺されるの」

言うが早いか――女は勢い良く飛び上がりベッドの上に両膝で着地する。

「ぐ……っ！」

衝撃が臨也の体に走り、傷口がミチリと悲鳴をあげる。

「うふふ……いい気味だね……あの時とは逆……。動けないのは貴方。生きてるのは私」

「……？」

――あの時……って……何時だ……。

記憶の扉の奥で、何かが強く引っかかる。

だが、その何かが思い出せない。

臨也が記憶の扉を漁る間に、女は手にしたナイフを臨也の首筋にヒタリと当てる。

「簡単には殺さないよ……。貴方は、あの世って何もなくって、苦しむとかそういう感覚もないって考えてるんだよね……？　だったら、生きてるうちに苦しまなきゃ？　ね？」

同意を求めるように、微笑みながら首を傾げるナイフ女。

普通の男なら、相手の狂気に打ち震える事だろうが――

臨也は、相手に恐怖を覚えるよりも先に、今の言葉に衝撃をうけた。

その衝撃は臨也の記憶の海を揺らし、波の間にちらほらと過去の欠片を浮き上がらせる。

――なぜ、俺があの世をどうこうって話を……。

――いや、した……前にしたぞ、その話を。――あれは、確か……。

――……そうだ……！　あれは、一年前……！

――竜ヶ峰帝人に初めて会った夜の……！

「それとも悲鳴を上げてみる？　それでもいいよ……貴方を人質にとって、明日のニュースで貴方に恥をかかせるのもいいかもね。女に殺されかけてる、新宿で情報屋を気取ってる裸の王様……ってね。貴方の大嫌いなバーテンダーさんは、大喜びしちゃうかな？」

微笑みながら尋ねる女に――

臨也は傷口に響く痛みすら忘れ、晴れ晴れとした笑顔で口を開く。

「いやあ、シズちゃんはそもそもニュースとか見ないよ。苛立つ事件とか見るとテレビを壊しちゃうからねぇ」

同時に――臨也は傷口が痛むのも構わずに体を跳ねさせ、女と共にベッドの下に転げ落ちる。

点滴の針が抜け、透明な液体が薄暗がりの闇を舞う。

「くっ！」

女は即座に体勢を立て直そうとするが――喧嘩における経験の差が、ここで如実に表れた。

臨也は頭脳労働専門とはいえ、平和島静雄やその他のチンピラと、何度も殺し合いに近い喧嘩の場数を踏んでいるのだ。

彼は即座に女を組み伏せ、馬乗りになりながらナイフを奪う。

そのナイフを手の中で弄びながら、臨也は眼下の女に微笑んだ。

「君も何か囓ってきたみたいだけど……。ちょっとだけ鍛錬不足だったねえ」

「……殺せばいいよ。そしたらあんたは殺人犯だ。あの世なんてあるかどうか解らないけど、少なくとも死ぬ瞬間までは、あんたが無様に警察に追われる姿を想像してあげる」

「殺す？　殺すだって？　そんな馬鹿な！」

ケラケラと笑いながら、隣の病室まで響くか響かないかという声量で叫ぶ臨也。

「そんな事！　そんな事はしないさ！　自殺志願者を殺すほど、俺はボランティア精神に溢れてるわけじゃないんでね！」

「……へえ、思い出してくれたんだ」

折原臨也は——正確には、女の顔や名前を思い出したわけではなかった。

だが、どんな存在かだけは、ハッキリと思い出す事ができた。

去年の春——彼が当時嵌っていた一つの『遊び』。

『奈倉』というハンドルネームを使い、自殺サイトで知り合った男女を引き込み——相手から命以外の様々なものを奪い、観察するという悪趣味極まりない遊び。

彼女は、その遊びが飽きた日——最後の夜に出会った、二人の自殺志願者のうちの一人だ。

あの日出会った彼女達がどんな顔をしていたのか。どんな格好をしていたのか。美人だったのか不細工だったのかオシャレだったのか不格好だったのかどんな声をしていたのかどうして彼女達が死のうとしていたのかそもそも本当に彼女達が死ぬつもりだったのか——折原臨也は、その全てを忘れた筈だった。

だが、臨也に刻み込まれた記憶は、彼女こそがその少女であるという事実だけを思い出す。

彼女は、確かに取るに足らぬ存在だった。

しかし、そんな彼女が、まるで別人となって自分の前に現れた。

そして——その事実は、臨也の心の奥に埋もれていた爆薬を弾けさせた。

「ハハ……ハハハハハ！　ハハハハハハハハハハハハ！」

隣の部屋にも響く声で、臨也は笑う。笑う。笑う。

「そうだ。ああ、ああ、そうだ！　取るに足らない君だ！　だが、生ぬるい自殺志願者に過ぎなかった君が、俺に殺意を抱き、それを一年以上も滾らせ、ニュースから僅か半日で居場所を割り出し、この場所にやってきた！」

「……？」

相手が何を笑っているのか解らず、女は訝しげに臨也の顔を見る。

「そう、君はここに来た！　ここに来たんだ！　どうやってここを突き止めたかは知らないが、こんなに素晴らしい事があるか⁉　君は、俺の予想を裏切ったんだ！」

臨也は立ち上がり様に女の腕を引いて立ち上がらせ——

まるで、数年ぶりに再会した恋人にするように、混乱する彼女の体を強く強く抱きしめた。

「おかげで……そのおかげで、俺は思い出せた！　初心に返る事ができたよ」

——ああ、そうだ。そうだよ。

——俺は、あの『首』を手に入れてから——人間を舐めてたのかもしれない。

——人間以上の存在があると思ってしまった。

「だが、どうだ！　見ろよ俺！　思い知ったか俺！　人間は、かくも素晴らしい！」

「……」

宝くじを当てた男でも、果たしてここまで喜ぶだろうか？

そんな勢いではしゃぐ臨也に、女は何か恐ろしいものを感じたのだが——彼女の心に漲る憎しみは、その恐怖を乗り越えて言葉を紡ぐ。

「良く解らないけど、これだけは言えるよ」

「なんだい？」

「あなたは、最低の人間だ」

「それでいいさ」

臨也は、それこそ大好きな玩具を手に入れた子供のように、無邪気に無邪気に微笑んだ。

「君達が俺をどんなにどんなに嫌（きら）っても――」

「俺は、どうしようもなく理不尽（りふじん）な程に、最高に最高に最っっ高に――君達が大好きだ！」

数分後――

隣（となり）の部屋から『騒（さわ）がしい』という連絡を受け、ナースが臨也の病室に入ると――

そこには臨也の姿も女の姿もなく、着替えや荷物すら消えていた。

折原臨也がどこに消えたのか？

それを臨也の関係者達が知るのは――まだ、少しだけ先の話。

♂♀

川越街道（かわごえかいどう）　某（ぼう）マンション

『いやー、まいったまいった』

「まさかあんな事になるなんてねぇ」

古びたエレベーターの中で、文字と言葉が往来する。

『絶滅したニホンオオカミを見つけたと思ったら、まさか狼男だったなんて笑い話にもならない。あの神社にいた巫女さん達もなんか怪しかったな。吸血鬼っぽい気配がした』

「セルティや罪歌以外のそういうのは初めて見たけど、やっぱりセルティが一番だよ！」

へとへとになりながらも、楽しげに今日の旅行について語る新羅とセルティ。

一体どのような頂上体験をしてきたのか——バイクに戻ったシューターに二人乗りをしている間はろくに話せなかった為、これからゆっくりと今日の思い出を語り合うつもりなのだろう。

エレベーターの上昇が停まり、扉が開かれた所で一旦話を区切るセルティ。

『まあ、とりあえずシャワーでも浴びよう』

「たまには一緒に入ろうよ」

『調子に乗るな』

新羅の頭を軽く小突きながら、セルティは上機嫌で廊下に踏み出した。

明日からはまた、いつも通りの日常が待っている。

今日の思い出を糧に、また明日から運び屋の仕事を頑張ろう。

そんな事を思っていた彼女に——想定外の声がかけられた。

「こんばんは」

声は——セルティの前方。

新羅とセルティの部屋の前に座り込んでいた少年の口から発せられていた。

「今日は帰らないのかと思いましたよ。あと十分ぐらいで帰る所でした」

竜ヶ峰帝人以上に童顔とも言える少年。

セルティは、その顔にハッキリと見覚えがあった。

——こいつは……！

一日前——廃工場の中で、帝人に『取引』を持ちかけていた少年だ。

「帝人先輩、黒バイクさんの事は教えてくれないもんだから——自力で来ちゃいました」

「誰？」

訝しむ新羅に、少年は柔和な微笑みを浮かべながら自分の名前を吐き出した。

「黒沼青葉、っていいます。黒バイクさんとは、何回か顔を合わせてますよね」

「今日は……黒バイクさん達と、友達になりたくて来ました」

——……。

セルティは、長年人間を観察してきて知っている。

友達になろうと初対面で口にするのは、よほど純真な奴か、腹に一物ある奴だと。

そして、この黒沼青葉という少年は——間違い無く後者だと。

少年の右手に巻かれた包帯に滲む赤色が、セルティの不安をよりいっそう膨らませる。

これから先——自分達には暫く『いつもの日常』は戻ってこないのではないかと。


そんなセルティの不安を嘲笑うかのように、青葉は血の滲む右手をダラリと風に靡かせる。

ユラユラと、ユラユラと、不安定な街の空気を暗示するかのように——

生ぬるい街の風に吹かれたまま、少年の右手は静かに揺らめき続けた。

ゆらり、ゆらり、ゆらゆら、ゆらり。

デュラララ!!
7

休日というのは、体を休めるわけじゃない。

心を休めるわけじゃない。

心でも体でもなく……日常の繰り返しという『状態』そのものを休ませるんだ。

俺は、最初にそう言った。

だが、忘れちゃいけない事がある。

休日にたっぷりと『非日常』を味わって、さて、気分も新たに日常に身を投じようか。

そう思って朝を迎えても――

肝心の、いつも通りの日常がそこにあるとは限らない。

言ったろう？　街は日常も非日常も、仕事も休ロも区別しない。

見て判断するのは、結局の所は人間さ。

人間なんだ。

だから、街があんた達に与える『新しい日』が、休日前の平日と同じであるとは限らない。

もちろん、平日にだって日々変化や進化はあるもんだが――そんなレベルじゃない。

毎日健康食品を選んで食ってた、たまの休みは贅沢にステーキを食いました。さあ、今日からまた健康食品だと思ってたのに、いきなり毒キノコのフルコースを食わされるようなもんだ。

もしも、期待していた筈の日常がそこに戻ってこなくて、望みもしない異常事態を呑み込まなきゃならなくなったら——

まあ、祈る事だ。

自分達の胃袋が——せめて街と同じぐらいに丈夫な代物と信じてね。

メディアワックス刊　池袋散歩解説書『池袋、逆襲3』より
著者である九十九屋真一のあとがきより抜粋

出演

セルティ・ストゥルルソン
岸谷新羅
折原臨也
平和島静雄
田中トム
竜ヶ峰帝人
園原杏里
紀田正臣
三ヶ島沙樹
張間美香
矢霧誠二
矢霧波江
粟楠茜
折原九瑠璃
折原舞流
遊馬崎ウォーカー
狩沢絵理華
門田京平
四木
青崎
赤林
粟楠幹彌
ヴァローナ
サイモン・ブレジネフ

製作

イラスト&ビジュアルコンセプト
ヤスダスズヒト（AWA STUDIO）

デザイン
鎌部善彦

編集
鈴木Sue
和田敦

発行
株式会社アスキー・メディアワークス

発売
株式会社角川パブリッシング

原作　成田良悟

あとがき

というわけで、どうも、お久しぶりです成田です。初めましての方は初めまして。今後とも宜しくお願い致します……！

ともあれ、この本の発売日前後に買って下さった皆様は既に御存知の事かと思いますが、

『デュラララ!!』のＴＶアニメが放映開始しました！

このあとがきを書いている時点で私も既に何話か見終えているのですが——もうあまりの完成度の高さに興奮が抑えきれません。興奮しすぎて現在熱が３８度７分あります。嘘ですただの風邪です。しかしその風邪を吹き飛ばしてダンシングしたい程の悦びがありますよ……！

そんな浮かれた私の事は置いておきまして、とりあえず各話のあとがきのような物を。

『逢い引きボレロ』

波江と美香は『デュラララ!!』の女性陣の中でトップクラスの壊れキャラなのですが、出番が無かった為に割と常識人ぽいイメージのまま話が進んでいたような気がします。本当は、過去に誠二に近づいた女の子を手込めにしてその道に引きずり込み（波江本人は弟一筋なのでその気は無し）、男（誠二）に興味を無くさせてきた……というエピソードも考えたのですが、ページ数とか色々と倫理的な都合でカットせざるを得ませんでしたので、百合系が好きな読者の方は想像で色々とお楽しみ下さい。

『はぐれ者コンチェルト』

　個人的に一押しの赤林の話なんですが、粟楠会のキャラクターの名前は基本的に電撃編集部の方々の名前をモデルにしている為、担当さんにはいつも『うーん、いつも高林君（ガラシャツ刑事）の顔が思い浮かんじゃうから、主役と言われてもピンとこないんですよねー』と言われます。そんな……！　ともあれ、ネタバレになるのですが某キャラの母親なども出てきて、ちょっといつもの『デュラララ!!』とは違う雰囲気の話になったかと思います。


『取り立てラプソディー』

　一方、こちらはいつものデュラっぽい話になりました。静雄自身が思い描く『好みのタイプ』は年上のお姉さんだったりするんですが、まあその辺りの事についてはアニメで今後放映されるあるエピソードをお楽しみにという事で……（重大発言）。ともあれ、茜とヴァローナは今後もレギュラーキャラとして静雄の回りをウロチョロすると思います。デュラはあまり新キャラが増えないので貴重といえば貴重なニューレギュラーですので、どうぞ宜しくお願いします。


『お惣気チャカポコ』

　この話ではチャカポコを敢えて馬車の音としていますが、無論元は『ドグラマグラ』の『あの音』です。という話はさておき、セルティにセーラー服を着せてみたりしました。今後もセルティにはチアリーダーや十二単など色々な格好をしてもらおうと考えたのですが、果たして新羅と私以外に需要はあるんでしょうか。

『入院ポルカ』

最初の予定では、臨也の病室には誰も来ずに寂しい連休を迎えてお終い。という予定だたのですが、マンガ版の某キャラ（ネタバレなので一応伏せます）が凄く可愛く描かれていたので、こりゃ原作にも再登場させるしかあるまい……という事で再登場させました。結果、臨也があんな事になってしまいました。どうなっちゃうんでしょう。作者にも先が全く読めません。

さて、そのマンガ──現在『月刊Gファンタジー』にて連載中の、茶鳥木明代さんによる『デュララ!!』コミックですが──現在、単行本の1巻が発売中です！

アニメもマンガも、新しい視点で描かれる『デュララ!!』に、私自身が凄く楽しませてもらっております。読者の皆さんも、私と同じかそれ以上にメディアミックスを楽しんで頂ければ幸いです……！

そういえば、なんとアニメのDVD、第一巻が早くも二月に発売します。

書き下ろし短編を書かせて頂いておりますが、その他に様々な特典が付きますので、懐に余裕のある方は、是非ともゲットして頂ければと思います……！

更に、エナミカツミさんの初画集『バッカーノ！』も発売と相成りましたので、そちらも是非宜しくお願いします……！　本当に自作に関わる様々な展開があり、多くの方々に感謝する日々が続いております。本当にありがとうございます！

※以下は恒例である御礼関係になります。

いつも御迷惑をおかけしております担当編集の和田さん。並びに鈴木統括編集長を始めとした編集部の皆さん。

毎度毎度仕事が遅くて御迷惑をおかけしている校閲の皆さん。並びに本の装飾を整えて下さるデザイナーの皆様。宣伝部や出版部、営業部などメディアワークスの皆さん。

いつもお世話になっております家族、友人、作家さん並びにイラストレーターの皆さん。

大森監督を始めとしたアニメスタッフの皆さん、漫画板でお世話になっている茶鳥木明代さん、並びに編集の熊さん。

アニメの脚本に関して、構成の高木さんを始めとして——カズターノの某設定を考案して下さった太田さんや、静雄の過去に関する某ネタを演出して下さった根元さん、他にも様々な影響を原作にも与えて下さった村井さん、吉永さん。

お忙しい中、大人な雰囲気漂う表紙や本書のイラストのみならず、アニメに関する様々な絵を描いて下さったヤスダスズヒトさん。

そして、この本に目を通して下さったすべての皆様。

——以上の方々に、最大級の感謝を——ありがとうございました！

『あとがき書いてる間に37度台まで熱が下がったと悦びながら』

成田良悟

◉成田良悟著作リスト

「バッカーノ！ The Rolling Bootlegs」（電撃文庫）
「バッカーノ！1931鈍行編 The Grand Punk Railroad」（同）
「バッカーノ！1931特急編 The Grand Punk Railroad」（同）
「バッカーノ！1932 Drug Children Of Bottle」（同）
「バッカーノ！2001 The Children Of Bottle」（同）
「バッカーノ！1933〈上〉 THE SLASH～クモリノチアメ～」（同）
「バッカーノ！1933〈下〉 THE SLASH～チノアメハ、ハレ～」（同）
「バッカーノ！1934獄中編 Alice In Jails」（同）
「バッカーノ！1934娑婆編 Alice In Jails」（同）
「バッカーノ！1934完結編 Peter Pan In Chains」（同）
「バッカーノ！1705 THE Ironic Light Orchestra」（同）
「バッカーノ！2002【A side】 Bullet Garden」（同）
「バッカーノ！2002【B side】 Blood Sabbath」（同）
「バッカーノ！1931臨時急行編 Another Junk Railroad」（同）

「バウワウ！　Two Dog Night」（同）
「Mew Mew！　Crazy Cat's Night」（同）
「がるぐる！〈上〉　Dancing Beast Night」（同）
「がるぐる！〈下〉　Dancing Beast Night」（同）
「5656！　Knights' Strange Night」（同）
「デュラララ!!」（同）
「デュラララ!!×2」（同）
「デュラララ!!×3」（同）
「デュラララ!!×4」（同）
「デュラララ!!×5」（同）
「デュラララ!!×6」（同）
「ヴぁんぷ！」（同）
「ヴぁんぷ！Ⅱ」（同）
「ヴぁんぷ！Ⅲ」（同）
「ヴぁんぷ！Ⅳ」（同）
「世界の中心、針山さん」（同）
「世界の中心、針山さん②」（同）
「世界の中心、針山さん③」（同）

本書に対するご意見、ご感想をお寄せください。

■

あて先

〒160-8326 東京都新宿区西新宿4-34-7
アスキー・メディアワークス電撃文庫編集部
「成田良悟先生」係
「ヤスダスズヒト先生」係

■

電撃文庫

デュラララ!!×7

なりたりょうご
成田良悟

発行　二〇一〇年一月十日　初版発行
二〇一〇年二月二十六日　四版発行

発行者　髙野　潔
発行所　株式会社アスキー・メディアワークス
〒一六〇-八三二六　東京都新宿区西新宿四-三十四-七
電話〇三-六八六六-七三一一（編集）

発売元　株式会社角川グループパブリッシング
〒一〇二-八一七七　東京都千代田区富士見二-十三-三
電話〇三-三二三八-八六〇五（営業）

装丁者　荻窪裕司（META＋MANIERA）

印刷・製本　加藤製版印刷株式会社

ISBN978-4-04-868276-3 C0193

電撃文庫創刊に際して

文庫は、我が国にとどまらず、世界の書籍の流れのなかで〝小さな巨人〟としての地位を築いてきた。古今東西の名著を、廉価で手に入りやすい形で提供してきたからこそ、人は文庫を自分の師として、また青春の想い出として、語りついできたのである。

その源を、文化的にはドイツのレクラム文庫に求めるにせよ、規模の上でイギリスのペンギンブックスに求めるにせよ、いま文庫は知識人の層の多様化に従って、ますますその意義を大きくしていると言ってよい。

文庫出版の意味するものは、激動の現代のみならず将来にわたって、大きくなることはあっても、小さくなることはないだろう。

「電撃文庫」は、そのように多様化した対象に応え、歴史に耐えうる作品を収録するのはもちろん、新しい世紀を迎えるにあたって、既成の枠をこえる新鮮で強烈なアイ・オープナーたりたい。

その特異さ故に、この存在は、かつて文庫がはじめて出版世界に登場したときと、同じ戸惑いを読書人に与えるかもしれない。

しかし、〈Changing Times,Changing Publishing〉時代は変わって、出版も変わる。時を重ねるなかで、精神の糧として、心の一隅を占めるものとして、次なる文化の担い手の若者たちに確かな評価を得られると信じて、ここに「電撃文庫」を出版する。

1993年6月10日
角川歴彦

電撃文庫

デュラララ!!
成田良悟
イラスト／ヤスダスズヒト

ISBN4-8402-2646-6

池袋にはキレた奴らが集う。非日常に憧れる高校生、チンピラ、電波娘、情報屋、闇医者、そして"首なしライダー(デュラハン)"。彼らは歪んでいるけれど――恋だってするのだ。

な-9-7 0917

デュラララ!!×2
成田良悟
イラスト／ヤスダスズヒト

ISBN4-8402-3000-5

自分から人を愛することが不器用な人間が集う街、池袋。その街が、連続通り魔事件の発生により徐々に壊れ始めていく。そして、首なしライダー(デュラハン)との関係は――!?

な-9-12 1068

デュラララ!!×3
成田良悟
イラスト／ヤスダスズヒト

ISBN4-8402-3516-3

池袋に黄色いバンダナを巻いた黄巾賊が溢れ、切り裂き事件の後始末に乗り出した。来良学園の仲良し三人組が様々なことを思う中、首なしライダー(デュラハン)は――。

な-9-18 1301

デュラララ!!×4
成田良悟
イラスト／ヤスダスズヒト

ISBN978-4-8402-4186-1

池袋の街に新たな火種がやってくる。奇妙な双子に有名アイドル、果ては殺し屋に殺人鬼。テレビや雑誌が映し出す池袋の休日に、首なしライダー(デュラハン)はどう踊るのか――。

な-9-26 1561

デュラララ!!×5
成田良悟
イラスト／ヤスダスズヒト

ISBN978-4-04-867595-6

池袋の休日を一人愉しめなかった折原臨也が、意趣返しとばかりに動き出す。ターゲットは静雄と帝人。彼らと共に、首なしライダーも堕ちていってしまうのか――。

な-9-30 1734

電撃文庫

バッカーノ！ 1932 Drug & The Dominos
成田良悟
イラスト／エナミカツミ
ISBN4-8402-2494-3

新種のドラッグを強奪した男。男を追うマフィア。マフィアに兄を殺され復讐を誓う少女。少女を狙う男。運命はドミノ倒しの様に連鎖し、そして——。

な-9-4 0856

バッカーノ！ 2001 The Children Of Bottle
成田良悟
イラスト／エナミカツミ
ISBN4-8402-2509-1

三百年前に別れた仲間を探して北欧の村を訪れた四人の不死者たち。そこで不思議な少女と出会い——。謎に満ちた村で繰り広げられる、『バッカーノ！』異色作。

な-9-6 0902

バッカーノ！ 1933〈上〉 THE SLASH ～クモリノチアメ～
成田良悟
イラスト／エナミカツミ
ISBN4-8402-2787-X

奴らは無邪気で残酷で陽気で残酷で優しくて残酷で天然で残酷で——そして斬るのが大好きで……。刃物使い達の死闘は雨を呼ぶ。それは、嵐への予兆——。

な-9-10 0990

バッカーノ！ 1933〈下〉 THE SLASH ～チノアメハ、ハレ～
成田良悟
イラスト／エナミカツミ
ISBN4-8402-2850-7

再び相見える刃物使いたち。だが彼らの死闘はもっと危ない奴らを呼び寄せてしまった。血の雨が止む時、雲間から覗く陽光を浴びるのは誰だ——？

な-9-11 1014

バッカーノ！ 1934 獄中篇 Alice In Jails
成田良悟
イラスト／エナミカツミ
ISBN4-8402-3585-6

泥棒は逮捕され刑務所に。幹部は身代わりで刑務所に。殺人狂は最初から刑務所に。アルカトラズ刑務所に一筋縄ではいかない男達が集い、最悪の事件の幕が開ける。

な-9-19 1331

電撃文庫

バッカーノ！1931 臨時急行編 Another Junk Railroad
成田良悟
イラスト／エナミカツミ
ISBN978-4-04-867462-1

幻の『バッカーノ！1931 回想編』に、知られざる大陸横断特急（フライング・プッシーフット）の乗客や事件に絡んだ面々の多数の後日談を大幅加筆！そして、NYで待つシャーネの許に――。

な-9-29　1705

バウワウ！ Two Dog Night
成田良悟
イラスト／ヤスダスズヒト
ISBN4-8402-2549-4

九龍城さながらの無法都市と化した人工島を訪れた二人の少年。彼らはその街で全く違う道を歩む。だがその姿は、鏡に映る己を吠える犬のようでもあった――。

な-9-5　0876

Mew Mew! Crazy Cat's Night
成田良悟
イラスト／ヤスダスズヒト
ISBN4-8402-2730-4

無法都市と化した人工島。そこに住む少女・潤（ジュン）はまるで〝猫〟だった。可愛らしくて、しなやかで、気まぐれで――そして全てを切り裂く〝爪〟を持っていて――。

な-9-9　0962

がるぐる！〈上〉 Dancing Beast Night
成田良悟
イラスト／ヤスダスズヒト
ISBN4-8402-3233-4

無法都市と化した人工島に虹色の髪の男が帰ってくる。そして始まる全ての人々を巻き込んだ殺人鬼の暴走劇。それはまるで島全体を揺るがす咆哮のような――。

な-9-16　1182

がるぐる！〈下〉 Dancing Beast Night
成田良悟
イラスト／ヤスダスズヒト
ISBN4-8402-3431-0

人工島を揺るがす爆炎が象徴するものは、美女と野獣（Girl & Ghoul）の結末か、戌と狗（Garuu VS Guruu）の結末か、それとも越佐大橋シリーズの閉幕か――。

な-9-17　1260

DENGEKI BUNKO